NYMPHEA

CONFÍN DE OIKOUMENE

FONDOS ARQUEOLÓGICOS DEL ERMITAGE

NYMPHEA

CONFÍN DE OIKOUMENE

FONDOS ARQUEOLÓGICOS DEL ERMITAGE

SALA DE EXPOSICIONES SAN ELOY, SALAMANCA
diciembre 2002 - enero 2003

MUSEU DE PREHISTÒRIA I DE LES CULTURES DE VALÈNCIA, VALENCIA.
febrero - marzo 2003

MUSEO NACIONAL DE ARTE ROMANO, MÉRIDA
abril - mayo 2003

EXPOSICIÓN

Organiza
MUSEU DE PREHISTÒRIA I DE LES CULTURES DE VALÈNCIA
CAJA DUERO

Comisario
ROBERTO RIVAS CONCEJO

Coordinación técnica para Caja Duero
ART IN PROJECT

Asesor del proyecto para Caja Duero
ALBERT RIBAS

**Coordinación técnica para el Museu de Prehistòria
i de les Cultures de València**
SANTIAGO GRAU GADEA

Coordinación técnica para el Museo del Ermitage
SOKOLOVA O.Y.

Diseño y producción
GRESOL, GESTIÓ CULTURAL

Grafismo: IGOR MORELL

Carpintería: EUROVIMA, S.L.

Ambientación: DEBLANC, S.L.

Adaptación Multimedia: IDEAS Y MEDIAS, S.L.

Transportes Internacionales
KHEPRI LTD.

Transporte y montaje para Caja Duero
FELTRERO DIVISIÓN ARTE

Seguros
INGOSSTRAKH ST. PETERSBURG

CATÁLOGO

Textos
BORISKOVSKAYA S. P.
DAVÝDOVA L. I.
DYÚKOV Y. L.
GAGUEN L. P.
CHISTOV D. E.
GUILÉVICH A. M.
KÚNINA N. Z.
NEKRÁSOVA L. A.
NEVÉROV O. Y.
SCHÚKINA E. Y.
SOKOLOVA O. Y.
UTKINA L. M.
VLÁSOVA E. V.
ZHIZHINA N. K.

Fotografías
TEREBENIN V.S.
MOLODKOVETS Y.A.
JEYFETS L.G.
MIJAIL PIKALOV

**Traducciones textos y traducciones juradas
del ruso al castellano**
ISABEL POZO
KONSTANTIN VASIN

Diseño y maquetación
PASCUAL LUCAS

Imprenta
TEXTOS I IMATGES, S.A.

ISBN: 84-7795-335-X
Dep. Legal: V-400-2003

CATÁLOGO

La valiosa colección que el Museo del Ermitage nos muestra en la exposición: *Nymphea, confín de Oikoumene* tiene un doble motivo de disfrute, ya que, además de su espectacularidad intrínseca y la riqueza de los objetos que exhibe, nos descubre una opulenta ciudad helenística, prácticamente desconocida entre nosotros, desenterrada después de muchos siglos de olvido. Nymphea, que se ubica en una magnífica bahía bañada por las aguas del Ponto Euxino (el Mar Negro para los antiguos griegos), nos es conocida gracias a los geográfos e historiadores clásicos que la mencionan como una de las *polis* griegas más importantes de la *koiné* helena.

En parte muy similar al papel que desempeñó de Iberia la ciudad greco-romana de Ampurias, Nymphea, en el otro extremo del mundo mediterráneo ya en tierras escitas, nos muestra a través de los objetos recuperados de sus ruinas la existencia de una cultura compartida entre los pueblos que vivían a orillas del Mediterráneo, entre los siglos VI a. C. hasta el III d. C. La colonización griega primero, y posteriormente el Imperio romano, llegaron a hermanar unos gustos, y en definitiva unas manifestaciones sociales y culturales afines que, bajo el denominador común de Helenismo marcaron la historia de la antigüedad clásica.

En la exposición se exhibe una selección de atractivas piezas de orfebrería, vidrio, cerámica, bronces, monedas, terracotas, inscripciones, etc. que nos hablan de la importancia de esta ciudad y de su riquísima necrópolis a lo largo de casi mil años, todo ello fruto de las sucesivas campañas de excavaciones que han llevado a cabo distintas expediciones arqueológicas del Ermitage desde 1939. Las bellas tanagras, los espléndidos vasos griegos, la exquisita cabeza de vidrio de de Livia, la fina joyería o el magnífico fresco mural decorado con una nave helenística son algunas de las piezas que se pueden contemplar en esta muestra.

La oportunidad que nos ofrece el Museo del Ermitage de conocer sus fondos y contemplar los tesoros más significativos de la ciudad de Nymphea, asentada en el confín del mundo conocido en la Antigüedad, es una ocasión única para la sociedad valenciana, máxime cuando se trata de un patrimonio arqueológico tan cercano, y a la vez, tan lejano de nuestro propio pasado histórico.

FERNANDO GINER GINER
Presidente de la Diputación de Valencia

Es para Caja Duero un verdadero honor tener la oportunidad de presentar en sus salas de Salamanca y con posterioridad en Mérida, gracias a la colaboración con el Museo Nacional de Arte Romano, una selección de los fondos de un museo de tanto prestigio internacional como es el Museo Estatal del Ermitage de San Petersburgo. La exposición «Nymphea, confín de Oikoumene. Fondos arqueológicos del Ermitage» supone un preciado colofón al intenso programa expositivo que Caja Duero ha venido desarrollando en el marco de la capitalidad europea de Salamanca 2002.

Este proyecto supone otro paso adelante en las fructíferas relaciones que Caja Duero ha mantenido desde hace tiempo con diversos museos e instituciones de Rusia, un país muy cercano a esta Europa en constante y decidida evolución y contribuye, además, a lanzar una mirada a un pasado que nos es común a todos en una de sus formulaciones más antiguas y ricas: la cultura griega.

Las excavaciones realizadas a lo largo de los últimos años por equipos de arqueólogos rusos, alemanes, italianos, franceses y estadounidenses en las orillas del Mar Negro pusieron al descubierto el florecimiento y la riqueza de la colonización griega en estos confines del continente europeo. La exposición que ahora presentamos recoge una parte importante de todos los hallazgos que se realizaron en un emplazamiento singular y de gran belleza como fue la ciudad costera de Nymphea, fundada en la primera mitad del siglo VI a.C. en un lugar situado a diecisiete kilómetros de Kerch (Crimea) y permite, de este modo, una aproximación muy bien documentada al arte, la cultura y la evolución histórica de esta ciudad. Como no podía ser de otro modo, también Nymphea estuvo inmersa comercial y culturalmente en el marco mediterráneo de relaciones y ello se pone de relieve, en la exposición, mediante la presentación de múltiples objetos, procedentes de las excavaciones y originarios de Grecia, Egipto, Asia Menor y de otros puntos del Imperio Romano.

Caja Duero quiere expresar su más sincero agradecimiento a todas las instituciones que han hecho posible este proyecto, especialmente al Museo Estatal del Ermitage y a su director, el Profesor Piotrovski por su invitación a presentar esta exposición, así como a la Diputación de Valencia y a los responsables del Museu de Prehistòria i de les Cultures de Valencia. A todos nosotros nos mueve la convicción de tener entre las manos una oportunidad única de conocimiento de nuestros lazos culturales más profundos.

CAJA DUERO

La exposición "Nymphea, confín de Oikoumene", contiene más de 180 piezas arqueológicas de la colección del Ermitage. La colección se compone en su mayor parte de los objetos descubiertos durante más de sesenta años de trabajo de una de las expediciones arqueológicas del Museo en Nymphea, antigua colonia griega, que existió desde el siglo VI a C – hasta comienzos del siglo IV en el sureste de la península de Kerch. Durante muchos años dirigieron la expedición del Museo el doctor Mark Khudyak, la doctora Varvara Skudnova y la doctora Nonna Grach. Actualmente el jefe de la Expedición es la doctora Olga Sokolova. Desde hace más de cuarenta años trabaja en la Expedición la doctora Nina Kunina, destacada especialista en vidrio de la Edad Antigua.

Indudablemente el fresco del santuario de Afrodita y Apolo, en el que aparece la imagen del barco "Isis", es un monumento artístico e histórico de la época antigua único en su género. El hallazgo del fresco que contiene numerosos grafitos, causó sensación en el mundo científico. Los especialistas valoraron altamente el trabajo de muchos años de los restauradores y científicos del Ermitage en el salvamento, restauración y estudio de dicho fresco. En 1989 la Fundación Alexander S. Onasis distinguió al Ermitage con el premio y medalla "Olimpia" por relevantes méritos en el estudio de la cultura griega. Entre obras escultóricas excepcionales figura el retrato en miniatura de Livia, esposa del emperador Octaviano Augusto; tallado en vidrio trasparente es, sin duda, creación prodigiosa de un talentoso maestro de la Antiguedad.

La exposición ofrece al público español la oportunidad de conocer de cerca la unidad y diversidad del mundo espiritual de la civilización mediterránea que pobló la costa norte del Mar Negro. Diversos objetos de arcilla, piedra, vidrio, metal, joyas, armas, adornos de sarcófagos y monedas ilustran la vida cotidiana , costumbres y creencias religiosas de los moradores de la polis.

Es simbólico que la exposición "Nymphea, confín de Oikoumene" se inaugure en Salamanca, elegida el año 2002 Capital Cultural de Europa y que su presentación en Salamanca, Valencia y Mérida sea para el Ermitage parte de la conmemoración del III Centenario de San Petersburgo. Esperamos que esta exposición contribuya a robustecer los vínculos culturales y despierte interés en vastos círculos del público español.

MUSEO ESTATAL ERMITAGE

BORISKOVSKAYA S. P.
DAVÝDOVA L. I.
DYÚKOV Y. L.
GAGUEN L. P.
CHISTOV D. E.
GUILÉVICH A. M.
KÚNINA N. Z.
NEKRÁSOVA L. A.
NEVÉROV O. Y.
SCHÚKINA E. Y.
SOKOLOVA O. Y.
UTKINA L. M.
VLÁSOVA E. V.
ZHIZHINA N. K.

L as primeras colonias griegas fueron fundadas en el litoral meridional y occidental del Mediterráneo y en el litoral septentrional del Mar Negro en los siglos VII- VI a.C. Como dijera Ciceron, fueron ¨una especie de orla cosida al extenso tejido de campos de los bárbaros".

En el proceso de la gran colonización griega la costa norte del Mar Negro se convirtió en un crisol de culturas con distintos tipos de economía, estructura sociopolítica e ideologías. Su cooperación y penetración recíprocas dieron vida a un original fenómeno histórico y artístico, cuyos portadores eran los habitantes de nuevas *polis*.

En el año 480 a C. las ciudades ubicadas a ambos lados del estrecho de Kerch, que en la antiguedad llevaba el nombre del Bósforo Himérico, llegaron a formar un reino único - el Reino del Bósforo - con capital en Panticapea (hoy, Kerch). A diferencia de otras ciudades, Nymphea, una villa pequeña, pero suficientemente famosa en los tiempos antiguos, seguía siendo independiente durante casi cien años. Dicha urbe se encontraba al sur de la capital, relativamente cerca de ésta. Según el testimonio del geógrafo griego Estrabón, "la distancia entre Teodosia y Panticapea es de alrededor de 530 estadios, toda esta zona es fértil, allí hay poblados y una ciudad que se llama Nymphea y que dispone de una magnífica bahía." (Strabo, VII, 4).

Nymphea (Νυμφαιον) fue fundada en la primera mitad del siglo VI a C. por los oriundos de Asia Menor. Es posible que en la etapa temprana de la existencia de la urbe, los habitantes de la isla de Samos tomaran una parte activa en su fundación. Para construir la ciudad se eligió la meseta costera cuya pendiente sur, en suave declive, se transformaba en una planicie de terreno bajo donde seguramente se encontraba la magnífica bahía que menciona Estrabón.

Las fuentes escritas no guardan testimonios acerca de la fundación de Nymphea ni del carácter de primeros contactos entre los colonizadores griegos y los indígenas. Los resultados de las investigaciones de los últimos años en los alrededores de las ruinas de la ciudad permiten hablar de la existencia de pequeños grupos de la población autóctona. No se descarta la existencia de un poblado indígena anterior a la aparición de los primeros *colonos* griegos en el cabo donde se ubicaran los barrios de Nymphea. En un área de la parte sureste de las ruinas fueron descubiertas distintas cuevas, en cuya estructura algunos investigadores ven aspectos propios de refugios subterráneos: una especie de literas y nichos y en el suelo, restos de hogueras y hoyos para postes que sostenían el techo. Sin embargo, lo más probable es que estas construcciones fueran de carácter auxiliar, algunas podrían servir para guardar grano. En estas zanjas se descubrieron granos quemados de cebada y trigo, huesos de animales domésticos, fragmentos de vasijas moldeadas a mano, incluidos los de vasos negros brillantes del llamado estilo *kizil-kobinski* decorados con incisiones rellenas de pasta blanca. La cerámica griega, encontrada junto con la arriba mencionada, data de mediados del siglo VI- primer tercio del siglo V a.C. y nunca más antiguo. En lo que a los detalles de estos yacimientos se refiere, su interpretación es discutible y lo único que está claro es que esta zona se utilizó durante un largo período, precisamente, con fines económicos. Así pues, hoy no podemos dar una respuesta positiva tajante a la pregunta de si existía en el recinto de Nymphea un poblado anterior a la colonia griega.

Gracias a los pocos restos de edificaciones de aquel período, se puede formar una idea muy general acerca de la arquitectura de las *polis* en los tiempos arcaicos. Por lo visto, al principio las construcciones, tanto residenciales como auxiliares, eran como cuevas excavadas en tierra que en la segunda mitad del siglo VI a C. fueron sustituidas por edificaciones en la superficie. En crudo, las paredes de las viviendas se levantaban sobre el zócalo de piedra y de losas de caliza planas y talladas. Este tipo de mampostería es característico también en otras ciudades del Bósforo del siglo VI a.C.

El siglo V-comienzos del siglo IV a.C. es el período del auge de la ciudad. Como destacan la mayoría de los investigadores, en esta época la ciudad conserva su autonomía y no forma parte del Reino del Bósforo, diferenciándose notablemente de otros centros "con sabor a la cultura greco-escita" (Grach 1985, p. 334, Tolstikov 1984, p.41-43), lo que se ve reflejado con nitidez en los materiales de la necrópolis. Por otra parte, surge la hipótesis de que económica y políticamente Nymphea dependía directamente de Atenas e incluso formaba parte de la alianza marítima ateniense, suposición basada en la información acerca del afán de Atenas de ampliar su influencia sobre las tierras del Mar Negro en la segunda mitad del siglo V a.C., en las referencias acerca de la estancia de la flota ateniense con Pericles al frente en las aguas costeras del Ponto Euxino y en los testimonios que contienen la epigrafía y obras de algunos autores de la Antigüedad. Los problemas del estatuto político de Nymphea, su relación con Atenas y su participación en la alianza marítima ateniense, así como el papel que desempeñó la ciudad en la historia provocaron una larga discusión en la bibliografía, polémica que, sin embargo, no ha permitido llegar a unas conclusiones determinantes y no ha finalizado hasta el momento.

En la primera mitad del siglo IV a C, cuando en el Bósforo reinaban Sátiro I y su hijo Levkon I, en el período de la expansión militar de Penticapea contra Teodosia, Nymphea fue anexada al Reino del Bósforo. Pese a las destrucciones que sufrió la ciudad, Nymphea fue restablecida en un corto período. Los restos arquitectónicos de este período confirman que la construcción era muy intensa.

En general, durante un largo período la urbanización de la ciudad se mantuvo intacta: se conservaban las principales calles de la ciudad construidas todavía en los siglos VI-V a C, funcionaban las comunicaciones y el sistema de evacuación de aguas pluviales, había zanjas de desagüe con pozos para la acumulación de agua. Hubo algunos cambios en la parte sureste de la urbe donde, sobre las ruinas de viviendas y edificios públicos, fue erigida la muralla de fortificación para la cual se utilizaron piedras de los cimientos de las casas destruidas.

Las ruinas de uno de los conjuntos arquitectónicos únicos en su género que se investigaron en Nymphea en los últimos años datan precisamente de esta época. En los años 1996-2000 en una de las terrazas de la ladera sur de la meseta de Nymphea fue descubierto un conjunto de piezas arquitectónicas que representa prácticamente todos los elementos de módulos verticales de orden jónico: el capitel, las basas y los fustes con estrías, el capitel y los toros, las molduras de cornisa, las cimas, los fragmentos de tímpano, en total, más de 50 piezas enteras y fragmentos. Todas las piezas están hechas de caliza local, producción de talleres locales, y son muestras del alto nivel profesional de quienes las hicieron. La superficie cuidadosamente pulida de la mayoría de las piezas, está recubierta con agua de cal mezclada con mármol desmenuzado. De esta forma se crea la impresión de que están hechas de mármol. Parte de las piezas fue pintada de vivos colores. Las losas molduradas del friso están adornadas con filas del cimacio lésbico y series de ovas amarillas y azules, talladas en piedra y pintadas. Y las molduras de perfil –cimas– fueron decoradas con impresionantes rebosaderos esculpidos en forma de cabeza de león con las fauces abiertas para dejar correr las aguas pluviales. Las cabezas leoninas fueron pintadas con colores llamativos, la melena amarilla y las fauces rojas resaltan sobre el fondo azul. Es impresionante sobre todo el capitel jónico: el rojo y el azul acentuan su tersura escultórica y los "ojos" de las volutas tienen adornos en metal. Las esbeltas fustes con estrías están cubiertas de una fina capa de estucado blanco.

Los fragmentos arquitectónicos son un testimonio fehaciente de que la cultura religiosa griega estaba llena de color. El capitel jónico de la columna nos permite tener una idea de hasta qué punto los antiguos alarifes consiguieron armonizar las cualidades plásticas y los principios ornamentales y constructivos.. Cabe recordar la contraposición metafórica de los órdenes jónico y dórico, que nos dejara Vitruvio: las columnas dóricas reconstruyen las proporciones del cuerpo varonil, mientras que las jónicas recuerdan la figura esbelta de una mujer joven. Podemos comparar la basa con sus sandalias; las volutas del capitel con el cabello, recogido en un peinado alto; y las estrías de las fustes con los pliegues de su ropa de una blancura inmaculada.

La comparación de las piezas descubiertas con las estudiadas en la terraza, permitió atribuirlas a una entrada monumental – propileos - , dato que en el año 2000 fue confirmado gracias al hallazgo de una losa de arquitrabe con una inscripción en perfecto estado.

La inscripción reza:

ΘΕΟΠΡΟΠΙΔΗΣ ΜΕΓΑΚΕΟΣ ΤΗΝ ΕΙΣΟΔΟΝ ΑΝΕΘΗΚΕΝ ΔΙΟΝΥΣΩΙ
ΑΓΩΝΟΘΕΤΕΩΝ ΛΕΟΚΩΝΟΣ ΑΡΧΟΝΤΟΣ ΒΟΣΠΟΡΟ ΚΑΙ ΘΕΟΔΟΣΙΗΣ
ΚΑΙ ΤΗΣ ΣΙΝΔΙΚΗΣ ΠΑΠΗΣ ΚΑΙ ΤΟΡΕΤΕΩΝ ΚΑΙ ΔΑΝΔΑΡΙΟΝ ΚΑΙ ΨΗΣΣΩΝ

"Teopropiles, hijo de Megacles, siendo agonopedo de Levcon, rey del Bósforo y Teodosia y de toda Cíndica y de los *toretas, dandarios* y *psessos*, dedica esta entrada a Dionisio".

Dicho hallazgo es uno de los rarísimos monumentos de la epigrafía bosforiana en cuanto a su grado de conservación y al contenido informativo. La inscripción menciona nombres anteriormente desconocidos en la epigrafía del Bósforo y además el autor de la inscripción desempeña el cargo de *agonopedo*, o sea, de organizador de fiestas y certámenes o *agono*s, lo que tampoco fuera registrado en Nymphea con anterioridad. La mención de que la entrada fue dedicada a Dionisio, confirma la hipótesis de que las piezas arquitectónicas halladas son parte de la entrada monumental o propileos.

Las peculiaridades paleográficas de la inscripción, el hecho de que se mencione el nombre de Levcon, así como los títulos del gobernador bosforiano, permiten precisar la fecha de la edificación de los propileos. Levcon conocido con el nombre de Levcon I era hijo de Sátiro I, rey del Bósforo, y, de acuerdo a distintos investigadores, las fechas en que gobernó varian, a saber desde 393/2-353/2 a C hasta 387-347 a C. Dicho de otro modo, la construcción de los propileos data de la primera mitad del siglo IV a.C.

La majestuosidad de los propileos nos aproxima a la idea de la suntuosidad de los templos que había en el recinto sagrado.

Desde la fundación de la ciudad, los habitantes de Nymphea mantuvieron estrechos contactos comerciales con muchas urbes de Grecia y Asia Menor. La agricultura y el comercio de pan constituían los pilares del bienestar de la población nympheana. El hecho de que Nymphea se encontrara en una bahía comodísima, rodeada de tierras fértiles que proporcionaban abundantes cosechas, garantizó a la ciudad la posición de un importante centro comercial en el Bósforo, principal exportador de pan bosforiano que se solía enviar a Atenas. A cambio, los habitantes de Nymphea recibían distintos artículos como pueden ser la cerámica ática de barniz negro o pintada (cat. 12 – 48), piezas arquitectónicas de terracota (cat 2-4), telas, todo tipo de adornos, incluidos artículos de orfebrería y piezas de marfil.

Que el comercio de la ciudad estaba muy desarrollado lo corroboran asimismo otros hallazgos como, por ejemplo, las pesas de plomo. Cabe destacar la pesa de contraste o referencia, descubierta en 1970 (cat. 165) que por una cara contiene la lista de tres nombres de *agoranomos*, cargo público entre cuyas funciones figuraba el control de los mercados. Por regla general, a estos menesteres se dedicaba una sola persona, así que la existencia de tres nombres se debe seguramente al gran volumen de transacciones comerciales en el mercado de Nymphea.

La agricultua y el comercio de pan como principales actividades determinaron asimismo el carácter de los cultos religiosos divulgados entre los habitantes de la ciudad que veneraban sobre todo a Deméter, patrona de los labradores. Uno de los santuarios más tempranos de la Diosa de la Fertilidad en las tierras del Mar Negro se encontraba precisamente en Nymphea. Los primeros sacrificios se celebraron junto a una grieta en la costa y más tarde – alrededor de mediados del siglo VI a C – se levantó la pequeña nave del santuario que consistía en una sola sala. Con el paso del tiempo el santuario fue reconstruido y ampliado en más de una ocasión. En el recinto sagrado se erigían altares y la decoración arquitectónica se volvía cada vez más rica: en el acabado del edificio se utilizaron cornisas decorativas, desagües en forma de cabezas de león y antefijas de terracota y de mármol.

Entre los donativos descubiertos en el santuario se encontró cerámica importada y vajilla de fabricación local: fuentes, grandes recipientes con orificio en el centro que se utilizaban para ritos religiosos, ánforas de Kios o Samos, copas y jarrones para festines y banquetes religiosos (cat.12,13) Allí mismo fueron descubiertos también fragmentos de máscaras coloreadas, lucernas (cat. 49, 50) y estatuillas de terracota para cuya fabricación solían utilizar moldes de importación (cat. 68). Son muy variados los tipos de terracotas, empezando por medias figuras de Deméter y su hija Core, estatuillas de mozuelas con cántaros de agua terminando con figurillas de cerdos, panes y frutos esculpidos (cat. 66-71). Muchos de estos artículos se fabricaban aquí mismo, en los hornos de alfarero que había dentro el recinto sagrado. Algunos vasos tienen grafitos con dedicatorias a Deméter (cat. 43).

Se sabe que desde el momento de su fundación la *polis* atravesó varias etapas de evolución. Sin embargo, durante un largo período en la bibliografía prevalecía el punto de vista de que el período helenístico en la existencia de Nymphea se caracterizaba por la paulatina decadencia que se prolongó hasta el siglo I. (Khudiak 1962, p.35, 59). Esta opinión coincidía con el concepto general del desarrollo del reino del Bósforo, cuyo autor es S. Zhebelev. (Zhebelev 1953, p 84 sig.). La crisis monetaria que se desencadenó de repente y que prácticamente paralizó el sistema financiero del Estado corrobora el mal estado de la economía del Bósforo en a fines del siglo IV a.C. y principios del siglo siguiente. Durante mucho tiempo se ha achacado la crisis económica del Bósforo a las desfavorables condiciones exteriores como, por ejemplo, el cambio de la coyuntura política, la invasión de los Balcanes y Asia Menor por las tribus celtas y su acentuado interés por el litoral norte del Mar Negro. Los investigadores creían que una de las causas principales de la crisis era la reducción de las exportaciones del pan bosforiano a Atenas que para aquel entonces ya había perdido su antiguo poderío. Según ellos, el hecho de que Atica empezara a importar pan egipcio, más barato, tuvo como consecuencia la reorientación de los vínculos comerciales de las *polis* del Bósforo. M. Trofimova y D. Shelov impugnaban este modelo histórico.

Los materiales arqueológicos obtenidos en las excavaciones de las ruinas de la ciudad y de su necrópolis desde mediados de los años 60, incluidas las investigaciones submarinas cerca de las orillas actuales, así como la gran atención prestada a la numismática y la epigrafía dieron pie a que N. Grach, que estuvo al frente de las investigaciones, pusiera en tela de juicio la opinión existente acerca de la Nymphea helénica. Al hacer un resumen preliminar de 20 años de investigaciones, Grach expuso la importante tesis acerca de que "en los siglos III- I a.C. la vida en Nymphea no había cesado. Al contrario, este periodo se caracteriza por el aumento de intensos contactos comerciales con distintas tierras de los Mares Negro y Mediterráneo". Los descubrimientos en Nymphea reflejan "el elevado nivel del bienestar de la ciudad" en la primera mitad del siglo III a.C. (Grach 1984, p 86-87, notas 10-14, Grach 1985, p 338-340).

Los resultados de las excavaciones en la ladera sur de la meseta nympheana arrojan el mismo testimonio, ya que en este lugar a fines del siglo IV a.C. se estaba construyendo un conjunto arquitectónico monumental sin parangón en la urbanística del Bósforo. Sin duda, los creadores de este prodigio, situado en las terrazas de la ladera, habían previsto que desde el mar tendría una vista imponente, convirtiéndose en una especie de entrada a la ciudad por el lado de la bahía. La construcción descansaba sobre un zócalo de bloques rústicos y los cuerpos del edificio central se comunicaban mediante escaleras. Durante las excavaciones se descubrió que los restos del edificio, además del zócalo y las escaleras, incluyen también importantes elementos arquitectónicos como, por ejemplo, pilones y columnas con estrías y que en el acabado se utilizaron cornisas molduradas y antefijas decorativas de terracota. En distintos lugares del edificio había altares lo que confirma que se trataba de un templo.

En una sala se hallaron numerosos fragmentos de estuco con dibujos policromados que antaño cubrían las paredes (cat. 1). La técnica de los dibujos es pintura al fresco con un recubrimiento encáustico. Las partes superior e inferior son de color blanco, mientras que la del medio está dividida por unos frisos decorados con franjas horizontales de colores rojo y amarillo brillante. Toda la superficie estucada está cubierta de dibujos e inscripciones. Los textos contienen datos acerca de los donativos para el santuario y sobre la restitución de deudas, hay comunicaciones sobre los barcos que se hacen a la mar, se citan listas de nombres y también nombres aislados incluidos los de los reyes del Bósforo. Algunas inscripciones son súplicas a los dioses y arengas, en las que se hace mención de Apolo y Afrodita como patronos de la navegación. Entre los dibujos hay numerosos barcos veleros, escenas de caza, figuras de animales y de seres humanos. En el centro aparece el dibujo de una *triera* o buque de guerra. De hecho este dibujo de 1,20 m de longitud, es un plano que respeta las proporciones lo que permite calcular las dimensiones reales del navío. En la proa de la nave está grabado su nombre - ΙΣΙΣ - que es el nombre de la diosa Isis, la más respetada en el Egipto de los tiempos de Ptolomeo. Según la opinión de N. Grach, "precisamente este dibujo y las inscripciones permitieron interpretar" todo el conjunto arquitectónico como un santuario marino, dedicado a Afrodita, y a la *triera,* como una embajada enviada "por Ptolomeo II Filadelfo desde Egipto a la corte de Perisado II, rey del Bósforo" con una misión política. (Grach 1984, p. 86, 1984ª, 1987, Grach 1989, p.68, 77). Es probable que en este dibujo aparezca una de aquellas naves, cuyas dimensiones y suntuosidad describen, con lujo de detalles, autores de la Antiguedad como Casllispeno, Atineo y Luciano. Desde el punto de vista de G. Semionov, el hallazgo del dibujo de un majestuoso barco en el templo se debe a las festividades con motivo del comienzo de la navegación en la primavera, descritas en el libro XI de "Metamorfosis" de Apuleo. El propio conjunto arquitectónico del templo demuestra lo popular que era en el Bósforo en la época helenística el culto a Isis-Afrodita, patrona de los marinos (Semionov 1995).

Aproximadamente a mediados del siglo III a C el santuario fue destruido.

Desde mediados del siglo III a C en la economía de Nymphea, al igual que en la de otras ciudades del Bósforo, se producen grandes cambios y este hecho lo corroboran los materiales de las excavaciones. Sin embargo, no debe presentarse como un ocaso, sino más bien como un cambio en el modo de vida urbano.

Así, por ejemplo, en este período en la terraza superior se construyen importantes centros enológicos destinados a producir vino en cantidades industriales. Semejantes centros vinícolas aparecieron asimismo en otras ciudades e incluso en poblados rurales del Bósforo, lo que atestigua el creciente papel de la viticultura y la enología en la economía del Bósforo durante el período helenístico. La reducción de la exportación de pan bosforiano a Atenas, relacionada con la afluencia del pan más barato, procedente de Egipto, tuvo como consecuencia la reorientación de las relaciones comerciales de las urbes del Bósforo, incluida Nymphea. No obstante, a pesar de la nueva situación económica, la ciudad logró conservar los nexos con sus antiguos socios comerciales y proveedores de producción agrícola y distintas artesanías. Asi, pues, Rodas, Cosa, Knida, Colquida, Sinope y otras ciudades de Asia Menor seguían vendiendo vino y aceite de oliva, así como toda clase de cerámica, incluida la decorada e imitaciones de vasija de metal (cat. 61), que era tan popular en la época helénica.

En la terraza inferior de la ladera despeés de la destrucción del santuario se levantó una muralla de fortificación aprovechando el zócalo rústico del templo que dejó de existir. Dicha muralla desapareció en el siglo I a.C.

En el siglo I – primera mitad del siglo II a.C. - Nymphea, al igual que otras ciudades del Bósforo, vive su segundo auge, son los tiempos de prosperidad económica y cultural del Bósforo. Reporta sus frutos el afán de Roma de afianzar sus posiciones en las provincias del norte y en las tierras que habían reconocido recientemente el poder de los emperadores romanos. Es la época cuando en Nymphea se llevan a cabo importantes obras urbanas, siempre conservando y respetando los principios generales de las edificaciones anteriores. En el centro de la ciudad se levantan grandes edificios. Las viviendas y las dependencias tienen patios pavimentados.

La ciudad sigue siendo un centro muy importante de comercio, como lo demuestran numerosos hallazgos de vajilla de importación: cerámica de barniz rojo del círculo de Pérgamo, vasijas de vidrio de fabricación siria (cat.80), chiprense (cat. 83) y procedente de las tierras galas y del Rhin (cat. 82). El magnífico vaso plástico en forma de cabeza de Sileno, importado de Asia Menor, está hecho según las mejores tradiciones helénicas (cat. 40). Este rarísimo ejemplar de escultura en miniatura de vidrio data del siglo I a.C. Es una cabeza de mujer hecha de vidrio verdoso transparente que parece ser el retrato de Livia, esposa del emperador Augusto (cat.77). Además Nymphea desarrolla su propia producción.

Las investigaciones arqueológicas permiten llegar a ciertas conclusiones respecto a la composición social de la población de Nymphea en los primeros siglos de nuestra era. Así, además de los restos de edificaciones en los barrios céntricos de la polis, los datos de la necrópolis de los siglos I-III son lo suficientemente elocuentes como para afirmar que en la ciudad existía un círculo extenso de habitantes acaudalados. Los sepulcros excavados en la roca o los enterramientos que se encontraban a gran profundidad, formaban un grupo homogéneo de monumentos fúnebres impresionantes en la parte noreste de la necrópolis siendo panteones familiares en su mayoría. En cada cámara había varias tumbas. Con frecuencia los restos mortales de los fallecidos descansaban en sarcófagos de madera con adornos de yeso.

La fabricación de adornos de arcilla, de yeso y de madera para los sarcófagos en que enterraban a la gente de alta alcurnia, se convirtió en toda una especialidad de la artesanía del Bósforo. Nymphea disponía también de esos talleres artísticos. Los motivos de estos adornos son muy variados: temas mitológicos (cat. 169), apotropaicos y elementos de decoración (cat. 164 – 165). Gozaban de especial popularidad las máscaras trágicas pintadas en colores llamativos (cat. 156-159) y las cabezas de Medusa Gorgona (cat. 161) que servían para ahuyentar el mal.

Los objetos descubiertos en las tumbas son muy variados y representan un material arqueológico muy rico. A pesar de que casi todas las catacumbas fueron saqueadas como mínimo dos veces - en los tiempos antiguos y en el siglo XIX –, entre los hallazgos hay piezas que indican el alto estatus social de los difuntos.

Entre los descubrimientos excepcionalmente importantes y significativos figura la catacumba Nº 7 con imágenes de Atenas, Pan y Sileno sobre la entrada a la cámara. La catacumba, descubierta por unos campesinos en 1899, fue investigada en 1905 por M. Rostóvtsev, quien posteriormente publicó los resultados de su investigación. Con posterioridad la catacumba fue cegada y prácticamente perdida para la ciencia. En 1973 durante las obras sistemáticas en la necrópolis, la catacumba fue redescubierta, sometida a conservación e investigada detalladamente. Entre los pocos objetos que se encontraron en la catacumba hay imitación en oro de una moneda del emperador Galieno, lo que demuestra que el último entierro en la catacumba data, como mucho, de los años 60 del siglo III d.C.

La segunda mitad del siglo II y el siglo III d.C. son tiempos muy turbulentos en la historia del Bósforo. Las migraciones masivas de tribus bárbaras hacen peligrar las ciudades del Bósforo. En el centro de Nymphea se ven claramente destrucciones que datan de la primera mitad del siglo II. Pero, a pesar de la amenaza de agresión bárbara, no se han encontrado restos de nuevas fortificaciones ni indicios de restablecimiento de las antiguas murallas que rodeaban la ciudad.

En el siglo III el Bósforo y junto con él, Nymphea, entran en un período de crisis económica y decadencia. Cada vez son más frecuentes las incursiones de los bárbaros contra las *polis* bosforianas. Los centros de comercio de Asia Menor sufren saqueos y, en consecuencia, el comercio decae bruscamente. Empieza a divulgarse la vajilla moldeada a mano burdamente, lo que confirma que la cultura pasa por un período de decadencia, correspondiendo a los gustos de los nuevos habitantes de la zona que con toda probabilidad proceden de los círculos bárbaros. Los cambios en las creencias religiosas de los nympheanos se reflejan en la aparición de imágenes de nuevas divinidades - hasta entonces desconocidas - relacionadas con cultos agrícolas locales. Todo ello influye en la acuñación de monedas en el Bósforo que sustituye las estáteras de oro puro por la emisión de las monedas de electro, luego de plata y finalmente de cobre.

La crisis económica y financiera, la disminución del comercio exterior y la imposibilidad de mantener la capacidad defensiva adecuada del Estado tuvieron como consecuencia el abandono de una serie de ciudades y poblados del Bósforo, todo ello, agravado por devastadoras incursiones de las tribus bárbaras. A fines del siglo III, como resultado de la invasión de los godos, Nymphea fue destruida y desde entonces la vida en la ciudad nunca se restableció plenamente. Durante mucho tiempo "la única prueba material de que la vida en Nymphea proseguía eran cuatro o cinco monedas, halladas en las ruinas de manera accidental" (Grach 1989, p.67). En los años 70 del siglo XX, en la necrópolis fueron descubiertas varias tumbas subterráneas de fines del siglo III - comienzos del IV cuyo marco cronológico fue establecido con exactitud gracias a los vasos de vidrio y monedas de los reyes Foforso y Radamsado.Estos hallazgos confirman que hasta entonces había vida en la ciudad. Los vasos de la colección de A. Nóvikov que supuestamente proceden del recinto de la necrópolis (cat. 88) también se remontan a este período.

Cabe destacar que en el proceso de las excavaciones de la necrópolis se encontraban constantemente materiales de los siglos VIII-X. En distintos años se descubrieron restos de edificaciones, fragmentos de paredes con mampostería de "espiga" y hoyos , llenos de cenizas y piezas cerámicas del tipo saltovo-mayatski. Por consiguiente, en la temprana Edad Media en estas tierras existía un poblado, mientras que la necrópolis estaba en el lugar de la ciudad antigua.

En los medios científicos se conoce desde hace mucho tiempo el nombre de la ciudad de Nymphea. Su ubicación (en la costa de Crimea) - al igual que la de la mayoría de las antiguas *polis* griegas en las inmediaciones del Mar Negro - pudo ser localizada gracias a las descripciones del litoral que se hacían en la antigüedad para los navegantes y viajeros y, también, merced a los tratados de los geógrafos e historiadores de aquellos tiempos remotos.

Así, en el periplo de Pseudo-Scylax Nymphea figuraba entre las ciudades helenas en las tierras de los escitas (Ps.-Skyl., 68). Según un autor anónimo, Nymphea se encontraba a 25 estadios al sur de Tiritaki o a 85 estadios de Panticapea (en el presente, ciudad de Kerch) (Anon.PPE,76). Esquines describe Nymphea como una localidad en el Ponto, bajo el dominio de Atenas, que fue entregada a los enemigos por el traidor de Hilón (Aesch. III,171-172), en tanto que Harpocration comunica que Nymphea pagaba un talento a Atenas (Harpocrat., s.v.). El autor de los escolios a la obra de Esquines aclara que "Nymphea es un templo de ninfas, el paisaje de una ciudad cercana al Ponto…" (Sch.Aesch.III, 171).

Estrabón escribe que Nymphea se halla entre Panticapea y Teodosia y hace hincapié en la fertilidad de sus tierras y la presencia de "una magnífica bahía" en la ciudad (Strabo.VII, 4, 4). Más tarde encontramos una mención de Nymphea entre los participantes activos de la rebelión de las ciudades del Mar Negro contra Mitrídates Eupator en el año 63 a.C. (App.Mitrhr.,108). Plinio se refiere a Nymphea como a una ciudad desaparecida en su tiempo (Plin., NH, IV, 86). También citan a Nymphea Ptolomeo (Ptol.,IV,6,2), Esteban de Bizancio (Steph. Byz., s.v.) y otros autores.

Al cotejar estos datos con las ruinas que se conservaban a 17 kilómetros al sur de Kerch los estudiosos del siglo XIX localizaron la antigua urbe; sin embargo, las investigaciones arqueológicas de Nymphea se iniciaron hace relativamente poco.

Lo que atrajo poderosamente la atención a este monumento histórico fue el hallazgo, en 1866, de estupendas piezas de orfebrería, de lo que se hizo eco la prensa. Las publicaciones infor-

Científicos, miembros de la expedición, en la excavaciones del santuario de Deméter.

Vista de la muralla de fortificación del siglo IV a C y del llamado santuario de Afrodita

maban que varios individuos habían descubierto, en las entrañas de un túmulo, un sepulcro con: una cornalina con la escena de la pelea entre Heracles y Apolo por el trípode de Delfos (cat. 89), dos pendientes de oro con colgantes en forma de Artemisa sentada en una gacela y con la antorcha en la mano (cat. 98) y ocho rosetas de oro que imitaban flores y estaban adornadas con esmalte azul y filigranas. En 1867 en un túmulo de Nymphea fue hallada una crátera de figuras rojas (cat. 38).

A consecuencia de estos hallazgos, se intensificaron las excavaciones de saqueo de los túmulos de Nymphea practicados por aldeanos locales y advenedizos que vieron facilitada su labor furtiva por la ubicación de la ciudad y su necrópolis en los predios de un terrateniente.

Las negociaciones entre la Comisión Arqueológica Imperial, el director del Museo de Kerch, A.E.Lutsenko, y

Vista de dromos de las catacumbas

la dueña de la finca de Eltigen, terrateniente Gurieva, sobre las excavaciones arqueológicas, resultaron infructuosas. Sin embargo, a tenor de lo pactado con la propietaria del terreno, unos individuos exploraron, a título personal, los sepulcros centrales de varios túmulos. Más tarde los objetos descubiertos fueron a parar al museo Ashmolean de Oxford y sólo algunas de estas piezas llegaron al Ermitage.

En 1876 la Comisión Arqueológica organizó, por fin, la primera investigación arqueológica seria en Nymphea y su necrópolis. Las obras se desarrollaron bajo la dirección de A.E. Lutsenko, director del Museo de Kerch, y de N.P. Kondakov, miembro de la Comisión Arqueológica Imperial. Se confeccionaron los planos de los restos de la *polis* y de la necrópolis. Las excavaciones de las ruinas de la ciudad se suspendieron en la fase inicial centrándose la atención en los estudios de la necró-

Vista del santuario de Deméter

Un grupo de científicos y operarios de la expedición de Nimphea.
A la derecha, M. Khudyak

polis de Nymphea que prosiguieron hasta el año 1880. En el período comprendido entre los años 1876 y 1880, en el territorio de la necrópolis fueron excavados 50 túmulos, 2 catacumbas y 111 tumbas comprobándose que la mayor parte había sido saqueada.

Los resultados de estos estudios – los hallazgos tanto de piezas aisladas como de conjuntos de objetos - fueron recogidos en los Informes de la Comisión Arqueológica. Muchos años más tarde vio la luz el trabajo de P.F. Silántieva "Necrópolis de Nymphea" (1959), la publicación más completa dedicada a una necrópolis oculta por los túmulos.

Lo que atrajo especial atención de los investigadores fueron los sepulcros de hombres con armas, barras de oro, o *grivnas,* y magníficas cerámicas de barniz negro, acompañados de enterramientos de caballos (cat.9, 15, 17, 20, 22, 33, 36, 45-46, 61, 75, 78-79, 89-96, 100, 105-115, 122), lo que permitió hablar de la presencia de elementos bárbaros en los ritos funerarios de la necrópolis de Nymphea y de la penetración mutua de elementos de las culturas helenística y bárbara.

Las excavaciones de la Comisión Arqueológica en el recinto de la necrópolis finalizaron en 1880. En lo sucesivo, los trabajos en la necrópolis corrieron a cargo de campesinos y ciudadanos contratados, todos ellos bajo las órdenes de A.V. Nóvikov, dueño de la hacienda.

Entre los singulares hallazgos hechos en la necrópolis en este período hay que destacar una catacumba tallada en la roca con las imágenes en relieve de Atenas, Pan y Silena que fueron publicadas por primera vez en la monografía del académico M.I. Rostovtsev "Pintura decorativa antigua en el sur de Rusia" (1914). Esta cripta corrió la misma suerte que muchos monumentos del Bósforo descubiertos en el curso de excavaciones no profesionales: su ubicación quedó en el olvido por largo tiempo y solamente en 1973, durante la investigación sistemática de la necrópolis por la expedición del Ermitage, la cripta fue redescubierta.

En 1900 el Ermitage compró la colección de antigüedades de A.V. Nóvikov. En el apartado "procedencia" de la relación de objetos entregados aparecen Kerch o Eltigen (es decir, Nymphea), lo que permite separar la parte de la colección que procede de la necrópolis de Nymphea. Esta colección se distingue por la amplitud y diversidad del material recogido. Contiene tanto obras únicas de alta calidad artística de antiguos artistas como material que suele encontrarse en grandes cantidades durante las excavaciones de necrópolis: cerámica, vidrio, terracotas o adornos de sarcófagos en yeso. Tales objetos se cuentan por centenares. La importancia de la colección de A.V. Nóvikov estriba en que sus componentes dan testimonio de diferentes aspectos de la economía y cultura de Nymphea durante todo el período de su existencia y permiten precisar y completar los resultados de las excavaciones arqueológicas.

Interior de las catacumbas

A.V. Nóvikov donó al Museo de Antigüedades de Kerch algunas piezas de su colección, en particular, estelas y monumentos funerarios hallados en Nymphea.

Los primeros decenios del siglo XX no ejercieron influencia alguna en el aspecto arqueológico del estudio de Nymphea. Por otra parte, los historiadores seguían estudiando, con interés, los datos sobre algunos episodios de la vida de la ciudad aportados por los autores de la antigüedad y sostenían animadas polémicas sobre el tema en las publicaciones científicas.

A fines de los años 30 del siglo XX comenzó una nueva etapa en el estudio de Nymphea, caracterizada por unas investigaciones sistemáticas de la ciudad, la necrópolis y las áreas rurales aledañas.

En 1938 la expedición al Bósforo del Instituto de Historia de Cultura Material de la Academia de Ciencias de la URSS encabezada por el profesor titular V.F. Gaidukevich llevó a cabo los trabajos de reconocimiento en el territorio de Nymphea y sus cercanías. En estas labores participó activamente la investigadora del Ermitage P.F. Silántieva. El material arqueológico de aquellas excavaciones permitió fijar por primera vez el marco cronológico de la vida de la ciudad: desde fines del siglo VI a.C. hasta el siglo III d.C. inclusive.

Esos trabajos marcaron el comienzo de una investigación planificada de las ruinas de Nymphea que la expedición arqueológica del Ermitage ha venido realizando desde 1939 hasta la fecha.

Veinticinco años de excavaciones de la ciudad guardan relación con los nombres de M.M. Khudiak y V.M.Skudnova, estudiosos que lograron reconstruir el panorama general de la vida de la *polis* durante casi mil años y completar los testimonios de los autores de la antigüedad con pruebas materiales. Esta valiosa contribución arqueológica vino a enriquecer, junto con los hallazgos del siglo XIX, la colección del Ermitage.

En 1966, al frente de la expedición de Nymphea se puso N.L.Grach, iniciándose así un nuevo período, en principio, del estudio de Nymphea. Los trabajos en gran escala permitieron

esclarecer las particularidades de la planificación de vastas zonas de la urbe en diferentes períodos de su existencia; se investigaron los edificios de vivienda y públicos, las fortificaciones, se multiplicaron los testimonios materiales, lo que permitió comprender mejor los monumentos rescatados parcialmente con anterioridad y aumentó el número de fuentes necesarias para recomponer la historia de la ciudad. Nuevas investigaciones echaron por tierra la opinión -hasta entonces prevaleciente- acerca de la decadencia de la ciudad durante el helenismo.

En el presente la totalidad de estos datos hace posible una reconstrucción lo suficientemente completa de la Nymphea helenística. En algunas parcelas se descubrieron ruinas impresionantes de edificaciones de los siglos IV-III a.C. tanto de vivienda, como públicas. Copioso material arqueológico corrobora la hipótesis sobre la vida pletórica de la ciudad en los siglos III-I a.C.: basta recordar que justamente a esa época pertenece el estuco decorado (cat.1), magnífico testimonio de la vida artística y religiosa de los habitantes de Nymphea.

Las excavaciones en los terrenos de la necrópolis en los años 1966 y 1973-1978 tuvieron mucha importancia para el estudio de Nymphea. Gracias a estos trabajos fueron investigadas la necrópolis de catacumbas de los primeros siglos de nuestra era y cerca de 250 objetos correspondientes a distintos períodos de la ciudad. En su monografía "Necrópolis de Nymphea" (1999) N.L .Grach resumió los resultados de las excavaciones de esta necrópolis que desempeñan un importante papel en la solución de muchos problemas inherentes a la historia de Nymphea. La información sobre los ritos funebres, conjuntamente con los materiales encontrados entre las ruinas, permiten llegar a ciertas conclusiones acerca de la composición étnica de la población de la villa desde el momento de su fundación. Además, merced a la excavación de los enterramientos de fines del siglo III-comienzos del siglo IV d.C. se pudo ampliar el marco cronológico de la vida de la ciudad, dado que los materiales de esa época encontrados entre las ruinas de la ciudad son sumamente escasos.

En los años 1993-1997, en el marco del proyecto polaco-ruso-ucraniano "Nymphea: historia y estructura de la polis griega" se estudió la posibilidad de realizar investigaciones geofísicas en unas condiciones geológicas y arqueológicas concretas y definir hasta qué punto éstas serían provechosa para la solución de diversos problemas que presenta este monumento.

En la actualidad la atención se centra en el estudio de la topografía histórica de la ciudad, esclarecer la estructura del trazado de la *polis*, definir el caracter de la expansión urbana en las partes sur y sudoeste de la ciudad, investigar los sistemas de fortificación de Nymphea, estudiar el conjunto arquitectónico monumental de la época helenística en la ladera meridional de la meseta de Nymphea e implementar los trabajos de protección en el territorio de la necrópolis.

Paralelamente con los trabajos en las ruinas hay que mencionar las investigaciones en el territorio de la *cora* de Nymphea y la exploración de la plataforma submarina.

Los primeros asentamientos en la cora de Nymphea fueron descubiertos en el siglo XIX; más tarde la prospección de las afueras de la ciudad corrió a cargo de la expedición al Bósforo del Instituto de historia de cultura material de la Academia de Ciencias de la URSS bajo la dirección de V.F. Gaidukevich.

Proceso de excavación.

En los años 50 del siglo XX comenzó la investigación arqueológica planificada de las áreas rurales del Bósforo Europeo. Gracias a esta labor en los alrededores de Nymphea fueron descubiertos más de diez asentamientos de los períodos medieval y antiguo; en algunos de ellos se practicaron excavaciones arqueológicas. A partir de 1991 la expedición arqueológica y de protección del Bósforo del coto cultural e histórico estatal de Kerch se hizo cargo del estudio integral de la *cora* de Nymphea. Luego esta labor continuó desarrollándose en el marco del proyecto polaco-ruso-ucraniano (1993-1997). El principal resultado de estas actividades ha sido el reconocimiento exhaustivo del territorio

de la cora de Nymphea, el descubrimiento y registro de distintas categorías de monumentos pertenecientes a diferentes épocas y la confección, a partir de estos datos, de un mapa arqueológico de la cora nympheana.

La prospección submarina se practicó por primera vez en la zona de Nymphea en 1972 cuando a 1.5 km al sur de los restos de la ciudad, a 8.0 metros de la orilla fueron descubiertos bajo el agua los restos de una finca. El material rescatado que consistía fundamentalmente en fragmentos de cerámica, permitió ubicar esta finca en los siglos IV-III a.C. En los años 70 gracias al esfuerzo del equipo investigador del Museo histórico-arqueológico de Kerch y en los años 1990-91, de la expedición arqueológica y de protección del Bósforo del ya mencionado Coto cultural e histórico, en cooperación con un grupo de buzos de Kerch dirigido por A.Shamray, se exploró el fondo del Estrecho de Kerch en la zona de Nymphea. Estos trabajos siguieron desarrollándose como parte del programa "Nymphea: historia y estructura de la polis griega". La continuación de las investigaciones submarinas ayudará a esclarecer las dimensiones reales de la ciudad en el período de su auge y ubicar la bahía de Nymphea mencionada en las fuentes escritas.

Las excavaciones arqueológicas de Nymphea continuan. Quien sabe qué enigmas desvelará la ciudad a sus investigadores…

Los monumentos publicados en el catálogo proceden de las exc avaciones de las ruinas de la ciudad y la necrópolis de Nymphea y también de la colección de A. Nóvikov que el Ermitage adquirió en 1900.

El catálogo consta de capítulos donde las piezas están agrupadas según el tipo de material de que están hechas y las descripciones guardan el orden cronológico. Cada capítulo tiene una pequeña introducción con la breve característica de los monumentos. Las descripciones son más o menos completas en función de la importancia y el grado en que haya sido estudiada la pieza.

Anteceden la breve descripción los siguientes datos: la fecha, el lugar de fabricación, la procedencia (de las ruinas de ciudad o necróplis o de la colección de A. Nóvikov). el nombre del jefe de las excavaciones y el año del descubrimiento, el material, las dimensiones y el número de inventario. En el caso de la cerámica intada ática se indica el nombre de quien pintó el vaso, el nombre del taller o la clase de la pieza según la clasificación existente. Los datos acerca de las publicaciones anteriores se citan después de la descripción, así como las analogías.

En el número de referencia de cada pieza están presentes una o varias letras cirílicas.

Las dimensiones de las piezas están en centímetros. Las abreviaturas empleadas en las descripciones son: Alt (altura), anch (ancho grueso), diám (diámetro), g (gramos) Av (anverso), Rv (reverso).

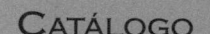

CATÁLOGO

ARQUITECTURA Y CONSTRUCCION

Los primeros poblados griegos en el litoral norte del Mar Negro ocupaban poca superficie y eran caóticos por falta de planificación. En ellos prevalecían viviendas de tipo
subterraneo o medio enterradas, siendo raras las casas construidas en la superficie. Tal era
Nymphea en los tiempos arcaicos.

Poco a poco la ciudad fue adquiriendo el aspecto típico de las *polis* de Grecia.
Proliferaron casas, sobradamente conocidas en la metrópoli, que solían consistir en la
vivienda propiamente dicha y todo tipo de dependencias situadas alrededor del patio. Las
paredes de la vivienda se hacían de ladrillos crudos sobre los cimientos de piedra, los sue-
los eran de arcilla y los tejados, a una o a dos aguas, solían ser de adobe o de caña. Los edificios públicos se cubrían de tejas de fabricación local o importadas. La ciudad se construía
por barrios y, paralelamente, se iban formando las principales arterias de comunicación.
Las calles se pavimentaban con casquijos o fragmentos de cerámica y las vías y plazas cén-
tricas con baldosas. Para el suministro de agua en la ciudad se construían pozos y con-
ducciones de agua. A lo largo de las calles se cavaron canales para llevar las aguas pluviales
y sucias fuera de la ciudad. En el siglo IV a. C. el casco urbano quedó rodeado de una
impresionante muralla fortificada.

En el centro social de la ciudad se levantaban los edificios administrativos y
públicos y en los *témenos,* o espacios sagrados, se erigían santuarios, templos y altares
(cat.6). Los elementos arquitectónicos hallados en las excavaciones como, por ejemplo,
acróteras (cat. 2, 3), antefijas y cornisas con desagües en forma de cabezas de león (cat. 4)
de producción local o importados de Sinope, demuestran la riqueza de la suntuosa decoración de estos edificios.

En Nymphea existía el santuario de Deméter, diosa de agricultura y fertilidad,
uno de los más antiguos en la costa del Mar Negro. En los siglos IV-III a C. en la ladera
sur de la meseta nympheana había un terreno sagrado con varios monumentos arquitectónicos. La entrada que conducía al *temenos* o espacio sagrado, en forma de propileos, estaba decorada con magníficas capiteles del orden jónico. La inscripción en el arquitrabe de
este monumento demuestra que dicha entrada estaba dedicada a Dionisio. Más tarde en
las terrazas de la ladera se construyó el santuario dedicado a los dioses patronos de marinos y navegantes, en particular, a Afrodita. Los muros de uno de los locales, recubiertos
de estuco policromado, contienen numerosos dibujos e inscripciones (cat.1).

◀ 1.- DOS FRAGMENTOS DE REVESTIMIENTO DE UNA PARED CON PINTURA POLICROMADA

Primera mitad del siglo III a C. Ciudad en ruinas. Grach N.L., 1982. Pintura con recubrimiento encáustico. 1) long., 1,6 m; altura, 0.6 m; 2) long. 2,5 cm; altura 0,55 m. НФ.82.526

Dos fragmentos del revestimiento de la pared con dibujos policromados al fresco y recubrimiento encáustico fueron descubiertos en uno de los locales del santuario en la pendiente sur de la meseta de Nymphea. Miles de fragmentos de distintos tamaños yacían a una considerable profundidad en la capa de arcilla y encima de los restos de la techumbre de tejas. Gracias a un complicado trabajo de restauración y un largo proceso de ajuste de los fragmentos, se llegó a la conclusión de que estas piezas arqueológicas pertenecen al revestimiento decorativo de dos paredes que formaban un ángulo dentro de la edificación. Su superficie estaba pintada con franjas de colores amarillo brillante y rojo, separadas por pintorescos frisos. En el área del zócalo se conserva el color blanco del fondo con restos de ocre oscuro.

La mayor parte de la pared estaba cubierta de dibujos, gráficos e inscripciones. Entre los textos figuran súplicas a los dioses, comunicaciones acerca de los barcos que se hacen a la mar, notas sobre las donaciones al santuario y la restitución de deudas, arengas, nombres aislados y listas de nombres; versos e inscripciones de contenido frívolo. Entre los dibujos se puede contemplar imágenes de personas, animales, edificios y numerosos barcos veleros. Sin duda alguna, el dibujo más importante es de un buque militar griego de 1,2 m de eslora, hecho en franja amarilla con técnica de *sgraffito,* que presenta detalladamente el equipamiento y el aspecto mismo de la nave. Esta imagen, en la que se respetan cuidadosamente el tamaño y las proporciones del barco, permite calcular las dimensiones reales del navío. En la proa aparece su nombre "ISIS", que es el nombre de la diosa Isis, la más respetada en el Egipto de Ptolomeo.

En opinión de N. Grach, dicho barco podría ser una embajada enviada de Egipto al Bosforo, a la corte del rey Perisado II, con una importante misión política. Es probable que en este dibujo aparezca uno de aquellos barcos, cuyas dimensiones y suntuosidad fueron descritos con lujo de detalles por autores de la antigüedad como, por ejemplo, *Casllisfeno, Atineo o Luciano.* A criterio de G.L. Semiónov, la presencia del dibujo de un majestuoso barco en el templo se debe a las festividades con motivo de la apertura de la navegación en la primavera, descritas en el libro XI de "Metamorfosis" de Apuleo. El propio conjunto arquitectónico del templo demuestra lo popular que era en el Bósforo de época helenística el culto a Isis o Afrodita, patrona de los marineros.

2. ACRÓTERA: PALMETA

Segunda mitad del sigloV a.C. Sinope. Ciudad en ruinas. Khudiak
M.M. 1956. Arcilla. Altura, 33 cm. HΦ.56.139

Ejemplo raro de acrótera en forma de doble roseta con la flor de arácea
en el centro; se distingue por la sencillez de la composición, los contornos claramente marcados y el acabado de la pieza.

3.- ACRÓTERA CON CABEZA DE MUJER

Segunda mitad del sigloV a.C. Sinope. Ciudad en ruinas. Khudiak
M.M., 1941. Arcilla. Altura, 22 cm. HΦ.41.195

Acrótera en forma de una roseta doble con pétalos tridimensionales que se
distinguen claramente. Los pétalos, elegantemente encorvados, se abren
hacia los lados formando un contorno dentado. En el centro aparece una
cabeza de mujer. La cara redondeada con ancho mentón está modelada con
sumo cuidado. Los grandes mechones de su cabellera están peinados hacia
atrás. Lleva bucles junto a las orejas. Los grandes mechones, a ambos lados
de la raya, pasan por detrás de los cuernos que coronan la frente. Este último detalle permite identificar la cabeza femenina como la de Io a quien la
celosa Hera transformó en vaca. Por su estilo esa cabeza se aproxima a las
esculturas áticas de la segunda mitad del siglo V a.C.

4.- FRAGMENTO DE UNA PIEZA ARQUITECTÓNICA

Siglo V a C. Sinop. Ruinas. Khudiak M.M., 1956. Arcilla. Largo, 60 cm; altura, 16 cm. НФ. 56.144

Fragmento de cornisa adornada de conchas perleras y ovos con el desagüe en forma de cabeza de león. El fragmento en cuestión al igual que otros semejantes formaba parte de un edificio público de los siglos V-IV a C.

5.- JARRA (MYKÉS)

Ultimo cuarto del siglo V a.C. Atica. Ruina. Grach N.L., 1973. Arcilla.
Altura, 14,5 cm. НФ.73.286

Vaso achaparrado que descansa sobre un soporte anular. La parte inferior del cuerpo se ensancha gradualmente hacia arriba y produce la sensación de estar cubierta por la parte superior redonda similar a un
hongo. El cuello corto se transforma en una especie de rodillo que corona el vaso del que brotan dos asas verticales de dos columnas. Debajo
del arranque de las asas corre una ancha franja horizontal de barniz
rojo. Con el mismo barniz están cubiertos el cuello, las asas y el labio.

6.- ANTEFIJA

Siglo III a.C. Bósforo. Ciudad en ruinas. Grach N.L., 1985. Arcilla.
Altura, 18,5 cm; ancho, 12,5 cm. НФ.85.224

Antefija de terracota con ornamento en relieve en forma de palmeta
sobre dos volutas.

7.- FRAGMENTO DE UN ALTAR

Fines del siglo IV a C. Grecia. Ciudad en ruinas. Grach N.L., 1982. Mármol. Longitud, 56 cm. HФ.82.542

Esquina de un altar moldurado, adornada con ornamento en relieve en forma de vid, ovas y diminutos cuadrados alternantes.

8.- TAMBOR DE UNA COLUMNA

Siglo III a.C., Bósforo. Ciudad en ruinas. Grach N.L., 1989. Caliza. Diám. 43,5 cm; altura, 20 cm

Tambor de una columna con acanaladuras. En la parte superior tiene recortado un hueco cuadrado que presenta en el fondo un pequeño ahondamiento cónico. Primera publicación.

9.- Pixide

Segunda mitad del siglo V a.C. Rodas (?). Necrópolis, túmulo 20, tumba 9, Lutsenko A.E., 1876. Arcilla. Altura, 12 cm. ГК/Н.51

Vaso de cuerpo redondeado sobre una pequeña base cóncava. Tiene asas verticales en forma de lazos moldurados y tapadera con un pomo cilíndrico. La decoración está hecha en barniz oscuro sobre fondo blanco. Debajo de las asas y en el borde de la tapadera hay una franja de barniz negro. En los hombros se aprecian de cada lado dos rosetas compuestas de una mancha de barniz con varios puntos alrededor.

10.- Pixide

Ultimo cuarto del siglo V a.C. Corinto. Período corintio tardío III. Colección de Nóvikov A.V. Arcilla. Altura, 9,2 cm. Б2208

Vaso ancho y achaparrado, de cuerpo redondeado que se estrecha visiblemente hacia una base amplia y claramente marcada. El labio es corto y escasamente pronunciado, en tanto que los hombros son anchos y las asas verticales, de sección rectangular. El cuerpo está decorado con franjas horizontales de barniz diluido y púrpura. En la parte intermedia se aprecian unas manchas rudimentarias de barniz ("pétalos"?). Sobre los hombros hay dos grupos de palmetas unidas de tres en tres por unos zarcillos: dos palmetas están acostadas mientras que la que está en el medio parece hundida. El dibujo está hecho con barniz marrón tenue. Primera publicación.

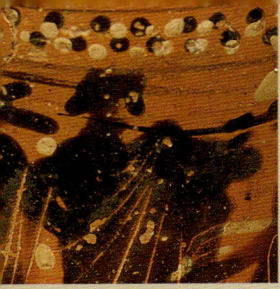

Cerámica de Figuras Negras
CERAMICAS

Las cerámicas de Nymphea son numerosas y variadas. Algunos hallazgos de cerámica escita moldeada a mano y de ánforas apuntadas de Quíos datan de fines del siglo VII – comienzos del VI a.C. Pero desde mediados del siglo VI a.C. se observa una verdadera proliferación de vasos procedentes de los importantes centros de producción cerámica de aquellos tiempos como Jonia, Corintia y Atica. En la primera mitad del siglo VI a.C., igual que antes, los vasos son muy pocos, aunque de excelente calidad como, por ejemplo, el fragmento del asa de una crátera de figuras negras, en forma de cabeza de un hombre barbudo (cat. 12). En la segunda mitad del siglo los vasos importados de Atica no son muchos y carecen de expresividad, aunque entre la cerámica de aquella época aparecen buenos ejemplares decorados como, por ejemplo, la hidria del maestro de Edinburgo (cat.13), interesante tanto por su forma como por el tema del dibujo, que data de fines del siglo VI a.C. Durante las excavaciones en las ruinas de la ciudad se encontraron fragmentos de cílicas pequeñas del último cuarto del siglo. Ejemplares aislados descubiertos en Nymphea, de vasos de figuras negras, principalmente lécitos con decoración vegetal (cat. 15, 16) o cerámica ordinaria y barata del taller del maestro de Haymon (cat. 11), fueron importados a la ciudad en la primera mitad del siglo V a.C.

La importación de cerámica ática de figuras rojas jugó un papel importante en el litoral del Mar Negro de los años 30 del siglo VI a.C. Sin embargo, posteriormente este proceso se interrumpió hasta los años 80 del siglo siguiente. En Nymphea prácticamente no hay hallazgos que daten de esta época. En cambio más tarde, prácticamente cada decenio de los siglo V-IV a C. está marcado por algún magnífico vaso, a saber, un ánfora del maestro de Petrogrado (cat.18), un ánfora del maestro de Niobides, fragmentos de una crátera del maestro de Chicago o una cílica del maestro Amimono (cat.22). Los años cuarenta y treinta del siglo V a.C fueron el período de auge del comercio con numerosas importaciones de cerámica ática al Bósforo que duró hasta mediados del siglo IV a C.

En el siglo IV a C. los vasos del llamado *estilo de Kerch* como, por ejemplo, la pequeña enócoe con la escena junto a un ídolo de Dionisio (cat.38), o la pélice del círculo del maestro Marcia con la escena de Adonio (cat.39), al igual que la cerámica anterior demuestran que en el Bósforo, o sea, lejos de Grecia, existían los cultos áticos tradicionales. Las pélices con escenas de amazonomaquia y grifomaquia (cat. 23, 36), muy populares en la periferia del mundo antiguo, son la última etapa de divulgación de la cerámica importada.

Entre la cerámica importada de alta calidad se destaca un grupo numeroso de vasos de barniz negro. El análisis de esta vajilla permite asimismo discernir las principales etapas del desarrollo de la vida en Nymphea. Cabe señalar como ejemplo que ya en el siglo VI a C la cerámica de fabricación local estaba imitando los modelos importados, en particular, los jónicos, así como los rythones, dinos y otras piezas de arcilla gris que se utilizaban principalmente con fines religiosos.

Numerosos hallazgos de copas de Megara (cat.61) y variada vajilla de mesa, incluida la de barniz rojo, ofrecen el testimonio de una actividad dinámica en la *polis* en los siglos III-II a.C. En las necrópolis y en la capa llamada "cultural" de los poblados de todo el litoral septentrional del Mar Negro fueron descubiertos numerosos ejemplares de cerámica de importación del período helenístico tardío y romano que se denomina con el término general de *"terra sigillata"* o de barniz rojo. Este material masivo y tipológicamente muy variado proviene de muchas partes, aunque suelen destacar dos grandes grupos: el occidental o italico y el oriental o de Asia Menor. En los poblados y necrópolis del Bósforo prevalece la cerámica de barniz rojo del grupo oriental. Esta cerámica que se remonta a los primeros siglos a.C y primeros siglos d.C. sirve de testimonio de las animadas relaciones comerciales del Bósforo principalmente con los centros de Asia Menor y talleres próximos al círculo de Pergamo. Actualmente, después de estudiar los hallazgos hechos en el área de Panticapea, los expertos distinguen hasta nueve grupos de cerámica de *terra sigillata*. No obstante, hoy el problema de la importación de cerámica de barniz rojo al Bósforo sigue figurando entre los temas menos estudiados y los materiales provenientes de Nymphea no son ninguna excepción. No cabe duda de que mayor parte de hallazgos de este tipo de cerámica en Nymphea pertenece al llamado grupo oriental (cat.40)

Las lucernas son utensilios que se encuentran con relativa frecuencia en las excavaciones de los poblados antiguos. Se hacían de bronce y las más económicas, de arcilla. En Nymphea fueron descubiertas lucernas de tres grupos principales: de fabricación local, o sea bosforiana o nympheana (cat.49,50), importadas y molduradas sin torno de alfarero. Algunas lucernas bosforianas imitan las formas de lámparas helenísticas griegas. Con frecuencia las lucernas van decoradas con imágenes en relieve incluidas las rosetas, figuras de animales y escenas mitológicas y de vida cotidiana.

◀ 11.- LÉCITO

Años 470-460 a. C., Atica. Grupo del maestro de Haimon. Colección de Nóvikov A.V. Arcilla. Altura, 16,8 cm; diám.del labio, 3,1 cm; diám. de la base, 4,3 cm. Б.2222

Lécito de figuras negras. Los hombros están decorados con trazos verticales. Una banda de puntos blancos y negros separa la escena central que representa a mujeres sentadas y hombres de pie de la parte de arriba. Los cuerpos de las mujeres están pintadas de blanco. En el barniz negro bajo el dibujo se practicaron unas incisiones. El cuerpo se curva hacia dentro. La factura rápida y descuidada caracteriza la obra del maestro de Haimon. Sin embargo, la forma del lécito permite atribuir la autoría a un decorador de vasos del taller del maestro de la Bruja (Beldam), fecundo productor de este tipo de lécitos con cuerpos más o menos alargados.

12.- FRAGMENTO DE CRÁTERA DE FIGURAS NEGRAS

Años 560-540 a. C. Atica. Maestro Lidos. Ciudad en ruinas, santuario de Deméter. Khudiak, 1946. Arcilla. Longitud, 20 cm; ancho, 8,8 cm. НФ.46.101

Fragmento del labio y del asa de una crátera de figuras negras (*column*). La superficie horizontal del labio está decorada con zigzags oblícuos paralelos. En la placa sobre el asa se reproduce una cabeza de hombre barbudo con cinta, que está de perfil a la derecha. La barba, los mechones sobre la frente y la cinta están resaltados con púrpura y los demás detalles se representan con incisiones. La manera algo descuidada y la factura rápida del dibujo no permiten atribuir la autoría de este fragmento al propio maestro Lidos, sino sólo a un pintor de su círculo.

En el taller de Lidos, mayor decorador de vasos de mediados del siglo VI a.C., aparecieron por primera vez en vasos áticos imágenes de cabeza de hombre pintadas en un saliente del labio sobre el asa de la crátera; desde entonces empezaron a confeccionarse numerosos cráteras con cabezas de hombre en las placas encima del asa. En la parte septentrional del territorio adyacente al Mar Negro semejantes imágenes fueron encontrados también en Olbia (excavaciones del año 1962).

13.- HIDRIA

Alrededor del año 500 a.C. Atica. Maestro de Edimburgo. Ciudad en ruinas, santuario de Deméter. Khudiak, 1941. Arcilla. Altura, 14,3 cm. НФ.41.937

Pequeña hidria de figuras negras y fondo plano.Por su forma no puede ser atribuida a ninguno de los tres tipos conocidos (se asemeja más a un lécito). Las asas horizontales laterales están muy pegadas al cuerpo. El fondo base es de color arcilla y la decoración está deslindada del fondo por finas líneas de barniz negro. El dibujo representa a una mujer que llena de agua la hidria. La boca de la fuente está hecha en forma de cabeza de león. Abajo, a la derecha, se encuentra una serpiente. También forma parte del dibujo la representación de una parra. Algunos detalles se realzan con pintura blanca. Esta composición hace recordar el encuentro de Polixena y Aquiles cerca de una fuente, motivo muy popular entre los decoradores de vasos áticos. La forma algo peculiar de la hidria y el barniz con viso metálico permiten afirmar que la fabricación del vaso se remonta a una época tardía.

14.- LÉCITO

Primer cuarto del siglo V a.C. Atica. Clase Atenas 581. Necrópolis, entierro A-177. Grach N.L.,, 1977. Arcilla. Altura, 17,0 cm. ННФ.77.43

El cuerpo ovalado de este lécito va estrechándose hacia un pie ancho y plano. El labio está hecho en forma de cuenco, el cuello es corto. Los anchos hombros están decorados con pétalos, cerca de la base del cuello se aprecian unos trazos. En el cuerpo recoge una escena de amazonomaquia. En el centro Heracles, ataviado con piel de león, ataca a una amazona arrodillada. La guerrera agredida y su compañera, que acude a socorrerla por la derecha, se defienden con escudos procurando abatir al héroe con sus lanzas. Detrás de Heracles se divisa la figura de una tercera amazona huyendo con la cabeza vuelta hacia atrás. La representación de las figuras es descuidada, los detalles se realzan con pinceladas de púrpura e incisiones rudimentarias.

15.- LECITO

Primer cuarto del siglo V a.C., Atica. Taller del maestro Boudoin. Necrópolis, túmulo 24, sepulcro de piedra 19. Liutsenko A.E., 1876. Arcilla. Altura, 24 cm. ГК/Н.181

Lécito cilíndrico de figuras negras que descansa sobre un pie macizo. El labio en forma de cuenco corona el escaso cuello. El cuerpo, el asa y la parte inferior del pie están cubiertos con barniz oscuro (que en algunas partes es rojizo debido a defectos de la cocción). La parte horizontal superior del labio, los hombros y la parte inferior del pie son de color arcilla. Cerca de la base del cuello se aprecia una franja de trazos verticales y sobre los hombros aparecen cinco palmetas unidas con zarcillos.

16.- LÉCITO

Segundo cuarto del siglo V a.C. Atica. Taller del maestro de la Bruja. Necrópolis, entierro 14, Grach N.L., 1977. Arcilla. Altura, 12,2 cm. ННФ.77.140

Lécito cilíndrico de figuras negras. De cuello alto y labio en forma de cuenco, este vaso se apoya sobre un pie ancho y macizo. El labio por dentro y por fuera, el asa, la parte inferior del cuerpo y la parte superior del pie están barnizados. Los hombros van decorados con dos hileras de trazos, en el cuerpo aparece una serie de tres palmetas verticales sobre aros. Sobre las palmetas hay unos arcos (de tonalidad blanca).

17.- Lécito

Segundo cuarto del siglo V a.C. Atica. Taller del maestro de la Bruja. Necrópolis, tumba 24, Lutsenko A.E., 1876. Arcilla. Altura, 15,7 cm. ΓΚ/Η.127

Lécito cilíndrico de figuras negras tipo *chimney* (la parte superior del cuello recuerda una chimenea). El fino labio está ligeramente encorvado, los hombros decorados con dos hileras de trazos. En el cuerpo se observan tres angostas franjas del meandro, entre ellas hay dos franjas compuestas de barras horizontales, cruzadas por unos cortos trazos verticales. La decoración del cuerpo está hecha en barniz oscuro sobre un fondo blanco, mientras que, en los hombros el fondo es de color arcilla.

CERÁMICA DE FIGURAS ROJAS

◄ 18.- ÁNFORA CON TAPADERA

Años 480-470 a.C. Atica. Maestro de Petrogrado. Colección de Nóvikov A.V. Arcilla. Dimensiones: altura, 59,5 cm; diám. labio, 24 cm; diám.base, 18 cm. Б.2228

Ánfora de figuras rojas. La línea del cuerpo se transforma con suavidad en el cuello. La base está hecha en forma de equino, las asas son lisas y redondas en sección. La ornamentación auxiliar es de figuras negras: bandas de capullos de loto con meandro por los lados y franjas de granadas estilizadas.

Citarista y su auditorio. Un músico joven, con la cabeza echada hacia atrás, canta y toca una cítara de seis cuerdas. El auditorio: un anciano calvo sentado en una butaca, un hombre y dos jóvenes, escuchan al músico con veneración, el hombre se dispone a colocar una corona de hiedra sobre la cabeza del citarista.

Dos hombres y dos jóvenes ataviados con capas.

El decorador del vaso que recibió su nombre gracias a esta ánfora, (Beazley AV, 1918) se cuenta entre los maestros de la primera hornada de los llamados manieristas de la primera mitad del siglo V a.C; mostró predilección por la decoración de vasos grandes.

19.- HIDRIA-CÁLPIDE

Años 440-430 a.C. Atica. Maestro de Cristi. Necrópolis, túmulo 14, Grach N.L., 1978. Arcilla. Altura, 30 cm. ННФ.78.1

El cuerpo de esta hidria-cálpide de figuras rojas recoge una escena en el gineceo, protagonizada por tres mujeres. En el centro aparece una muchacha vestida con una larga túnica que sujeta en las manos un cofrecito y unas *tenias* (cintas). A la izquierda se encuentra una joven con una cesta y a la derecha vemos una figura femenina envuelta en una capa. La hidria servía de urna funeraria donde se guardaban las cenizas de la persona incinerada.

20.- ESCIFO

Años 470-460 a.C. Atica. Maestro de Anfitrita. Necrópolis, túmulo 24, tumba 19, Lutsenko A.E., 1876. Arcilla. Altura, 14,5 cm. ГК/Н.98

Escifo de figuras rojas, asas macizas en forma de lazos, paredes ligeramente combadas y base en forma de aro.

Mujer de pie, envuelta en un quitón y un manto y con un tirso en la mano diestra.

Figura análoga con una fíala en la diestra extendida. Sobre su cabeza está escrita la palabra *kalos*.

A ambos lados del dibujo la superficie aparece decorada con rombos alargados ajedrezados y divididos en tres metopas por franjas verticales con ornamentación de espiga. La representación de las figuras y la vestimenta se caracteriza por cierta aspereza. La separación de los pliegues en la parte inferior de la túnica recrea la sensación del movimiento. La forma del vaso y las particularidades estilísticas son típicas para el maestro de Anfitrita a quien se le atribuyen varios vasos más de la colección del Ermitage.

21.- Fragmento de una Cílica

Años 440-430 a.C. Atica. Maestro de Kodrus. Ciudad en ruinas, Grach N.L., 1974. Arcilla. Longitud, 9,5 cm. НФ.74.55

Fragmento de una cílica de figuras rojas decorada por fuera con la imagen de un hombre sedente con báculo. Por dentro, a lo largo de un borde doblado, se reproduce el tallo de hiedra con pequeñas hojas del mismo color que la arcilla; las flores son de color blanco.

22.- Cílica

Años 460 a.C., Atica. Maestro de Amimona. Necrópolis, túmulo 20, tumba 9. Lutsenko, 1876. Arcilla. Diámetro, 13 cm. ГК/Н.49

Cílica de figuras rojas con paredes delgadas y redondeadas descansa sobre un pie anular de escasa altura. En el fondo hay un medallón decorado con la figura de un varón, que sujeta dos lanzas con el brazo izquierdo. La cabeza está de perfil a la derecha, la diestra está en jarras. El hombre viste una capa corta y calza sandalias, detrás de los hombros se ve un sombrero de alas anchas.

23.- Pélice

Años 350-325 a C. Atica. Grupo G del Maestro de Pélices. Necróplis, túmulo 2, sepulcro 7, Lutsenko A.E., 1876. Arcilla. Altura, 25 cm. ΓК/H.15

Pélice de figuras rojas, de cuerpo redondeado y cuello angosto y alargado, descansa sobre una pequeña base anular ligeramente moldurada. La parte inferior de la base conserva el color de la arcilla.

Cabezas de una amazona, un caballo y un grifo de perfil a la derecha. Los pliegues del tocado de la amazona están rayados y la gorra aparece adornada con pequeños punteados (triples) y un ornamento ondulado en el borde. Del tocado salen unos mechones de cabello pintados de amarillo. El rostro de la amazona es de color blanco. La cabeza del caballo está marcada con varios trazos arcoides, el ojo es un punto en el centro de un círculo con un arco encima. La cabeza del grifo se distingue por un trazado preciso y escueto.

Dos jóvenes envueltos en capas están ante un altar. Sobre el altar vemos dibujado un círculo. El joven de la izquierda sostiene en la diestra extendida el tímpano. Otro joven le tiende su mano derecha. Las figuras están representadas en forma muy genérica, sin que apenas se distingan detalles. Por el borde del labio, en la base del cuello y debajo del dibujo vemos series de ovas hechas de manera descuidada.

Las mayoría de los vasos, que presentan la llamada composición triple, o sea, el dibujo compuesto de las cabezas del grifo, el caballo y el hombre, se fabricaron principalmente en el siglo IV a.C. El Grupo G del Maestro de Pélices trabajó del segundo cuarto a segunda mitad del siglo IV a C.

24.- Pelice

Años 360-350 a.C. Atica. Grupo G del Maestro de Pélices. Colección de Nóvikov A.V. Arcilla. Altura, 26,5 cm. Б.2233

Pélice de figuras rojas. El borde del labio esta adornado con una cadena de ovas.

Eros a caballo de perfil a la derecha y una ménade que se encamina a la derecha con un tímpano en la mano.

Dos jóvenes ataviados con capas.

Arriba y abajo el dibujo está enmarcado por hileras de ovas. Los cuerpos de Eros y de la ménade están pintados de blanco.

25.- LÉCITO ARIBALÍSTICO

Alrededor del año 400 a.C. Atica. Maestro de Greña. Necrópolis, tumba B-1. Grach N.L.,, 1976. Arcilla. Altura, 7,7 cm; diám.base, 3,8 cm. ΗΗΦ.76.196

Es un diminuto lécito aribalístico de figuras rojas. En el cuerpo está representada la cabeza de Hermes con su gorro alado de perfil hacia la derecha, afrontando una voluta vegetal hecha de manera descuidada. Su factura es rápida. Este lécito, junto con dos lécitos aribalísticos (cat. 25, 27), tres diminutos enócoes de arcilla (cat. 26, 28, 29) y un enócoe de cristal fenicio (cat. 80), fueron hallados en la tumba de un niño. Las piezas de un candado metálico con restos de madera y fragmentos de unas láminas de bronce, encontrados en el mismo sepulcro, son indicativos de la presencia de un cofre o caja de madera con láminas de bronce donde se guardaban los vasos.

Estos diminutos vasos áticos permiten ubicar todo el conjunto alrededor del año 400 a.C.

26.- LÉCITO ARIBALÍSTICO

Alrededor del año 400 a.C. Atica. Necrópolis, tumba B-1. Grach N.L., 1976. Arcilla. Altura, 7,5 cm; diám. base, 4 cm. ΗΗΦ.76.197

Es un diminuto lécito aribalístico de figuras rojas. Su cuerpo está decorado con la figura de un ave de perfil hacia la derecha, afrontando una planta estilizada.

27.- ENÓCOE

Alrededor del año 400 a.C., Atica. Necrópolis, tumba B-1. Grach N.L., 1976. Arcilla. Altura, 7,5 cm; diám. base, 4 cm. ΗΗΦ.76.194

Enócoe minúsculo de figuras rojas (forma 3). En el cuello está dibujada una guirnalda de hiedra. En el cuerpo aparece un niño a gatas, de perfil hacia la derecha, y tiene enfrente un enócoe.

28.- LÉCITO ARIBALÍSTICO

Principios del siglo IV a.C. Atica. Necrópolis, tumba B-1. Grach N.L., 1976. Arcilla. Altura, 6,3 cm; diám. base, 3,2 cm. ΗΗΦ.76.195

Se trata de un minúsculo lécito aribalístico de figuras rojas. En el cuerpo del vaso aparece una cabeza de mujer con *sákkos*, de perfil a la derecha, afrontada a un adorno de carácter vegetal. La ornamentación del *sákkos* es un punteado negro.

29.- ENÓCOE

Alrededor del año 400 a.C., Atica. Necrópolis, tumba B-1.Grach N.L., 1976. Arcilla. Altura, 8,3 cm; diám. base, 4,2 cm. ΗΗΦ.76.193

Es un enócoe en miniatura, de barniz negro con ornamentación superpuesta. El cuello está decorado con una guirnalda de hiedra. En el cuerpo aparece un niño a gatas de perfil hacia la derecha. Delante del niño, que sostiene en la mano un palito (?), hay un juguete (una rueda con mango).
Hecho en técnica de Six. La cocción es irregular, tiene manchas de color marrón grisáceo.

30.- ENÓCOE

Fines del siglo V-comienzos del IV a.C. Atica. Necrópolis, tumba B-1. Grach N.L., 1976. Arcilla. Altura, 5,7 cm; diám., 3,2 cm. ΗΗΦ.76.198

Enócoe de arcilla roja.

31.- ASCOS

Años 400-375 a.C. Atica. Estilo de Kerch. Ciudad en ruinas, Grach N.L., 1974. Arcilla. Altura, 3,7 cm, max. diám., 9,6 cm. НФ.73.324

Pequeño ascos de figuras rojas de fondo plano de color de arcilla. Tiene un pico pequeño cuyo labio supuestamente fue roto y luego limado. En su tiempo tenía un asa en cinta (hoy desaparecida). En el centro de la superficie superior hay un colador con el borde moldurado cubierto de barniz y decorado con una palmeta, volutas y figuras de pantera y de cisne. Estos animales son los personajes habituales de estos vasos, así como de numerosos lecitos aribalísticos.

32.- FRAGMENTO DE ASCOS

Años 400-380 a C, Atica. Estilo de Kerch. Necrópolis, túmulo sobre la hacienda del propietario de Eltingen, 1879. Arcilla. Diám, 19 cm, altura, 9,6 cm. ГК/Н.180

Parte superior de un ascos de figuras rojas de tamaño inusitadamente grande con un asa que lo cruza diametralmente (del asa queda solamente la parte del arranque inferior). Decora la superficie una composición de figuras de sirena, Eros y liebre. El resto está invadido por volutas. Debajo del dibujo hay una franja de ovas con cordones en relieve de color arcilla. El orificio del centro (que fue hecho con posterioridad a la fabricación del ascos) está rodeado de cordones moldurados: primero pintado en barniz negro, le sigue el de arcilla, el de ovas y luego otra vez de barniz negro y de arcilla. Primera publicación.

33.- Tapadera de Pixide (forma D)

Alrededor del año 400 a C. Atica. Maestro de Diomeda. Colección de Nóvikov A.V. Arcilla. Diám., 6,4 cm; altura, 1 cm. Б.2265

Tapadera de una pequeña cajita de figuras rojas. El borde está decorado con dos cordones en relieve de color arcilla. Sobre el fondo negro de la tapadera está dibujado Eros, sentado sobre una rodilla, hacia la derecha. Su mano siniestra está doblada en el codo, mientras que extiende la diestra hacia adelante. La figura está desplazada hacia el borde derecho. El espacio detrás de la figura está ocupado por dos volutas con una hoja. Rodea el dibujo central una franja de ovas. El dibujo de las alas, al igual que las plantas de los pies de Eros, es bastante descuidado. Lo mismo se puede decir acerca de la franja de ovas. Primera publicación.

34.- Pixide

Comienzos del segundo cuarto del siglo IV a C. Atica. Alfarero Maurion. Necrópolis, tumba A-135, Grach N.L., 1977. Arcilla. Altura, 5,5 cm; diám., 6,5 cm. ННФ.77.18

Píxide de figuras rojas, cajita para objetos de tocador y cosméticos. La forma de la base maciza y moldurada se repite en la tapadera, en cuya superficie está dibujada una concha: *Bolinas brandaris*. En la parte exterior del fondo y en la parte interior de la tapadera está tallada la marca de sigma o m (es probable que el alfarero fuese Maurión).

35.- ENÓCOE

Siglo IV a.C., Atica. Estilo de Kerch. Encontrado en Eltigen, en las tierras de Nóvikov A.V. 1914. (Colección de Nóvikov A.V.). Arcilla. Altura, 9,8 cm. Б.8960

Pequeña enócoe de figuras rojas. En el cuerpo se aprecia una escena de sacrificio a Dionisio, que puede estar relacionada con alguna efemérides dionisiana. En este caso es muy probable que se trate de las Anfesterias, de lo que es indicativa la forma del vaso (coe) que se usaba en los ritos del segundo día de la fiesta.

36.- PÉLICE

Años 360-350 a C. Atica. Grupo G del Maestro de Pélices. Colección de Nóvikov A.V. Arcilla. Altura, 22,7 cm. Б.2236

Pélice de figuras rojas. El borde del labio esta adornado con una serie de ovas.

Arimaspo lucha contra un grifo.

Dos jóvenes cubiertos con capas.

El decorado de las pélices del Grupo G (grifos) refleja, en lo esencial, los gustos de los habitantes de las regiones remotas del mundo helénico, incluida la costa norte del Ponto Euxino.

37.- LÉCITO ARIBALÍSTICO

Años 440-430 a.C., Atica. Maestro Aquiles. Clase de línea blanca. Colección de Nóvikov A.V. Arcilla. Altura, 12,6 cm; diám.labio, 3,6 cm; diám. base, 6.3 cm. Б.2251

En este lécito aribalístico de figuras rojas se observa una cabeza de mujer con *sákkos* de perfil a la derecha, afrontada a una voluta. Los pequeños lécitos aribalísticos, decorados sólo con la cabeza de un hombre o una mujer, estuvieron muy en boga en la segunda mitad del siglo V - principios del siglo IV a.C. Sin embargo, los vasos más grandes -como el que nos ocupa - con la imagen pictórica muy cuidada, no estaban tan difundidos. Estos vasos datan de mediados a tercer cuarto del siglo V a.C. y reproducen esencialmente cabezas femeninas. No se descarta (véase *Metzger H. La representacion,* p. 83,85) que estas cabezas de mujer aisladas representen escenas simplificadas de carácter religioso.

38.- CRATERA (BELL)

Años 350 a C. Atica. Pintor de Toya. Necróplis, túmulo 11.Lutsenko A.E., 1876. Arcilla. Altura que se conserva es de 32 cm, diám. labio, 40 cm. ГК/Н.8

Crátera grande de figuras rojas. En el cuenco de este vaso, el borde del labio está adornado con una guirnalda de laureles. Bajo esta ornamentación corre una franja de meandro interrumpida por una cruz oblicua. Las bases de las asas están rodeadas de ovas. En el lado principal aparece una composición que evoca los motivos de Dionisio: en el centro un joven desnudo con la capa sobre el brazo izquierdo tiende su mano izquierda en dirección a una mujer sedente, semidesnuda que se ha vuelto hacia él y a Eros que se acerca volando por la derecha. En la diestra levantada la mujer sostiene unas cintas angostas de color blanco, sus cabellos quedan sujetados atrás por una cofia (?) abierta en la parte delantera, sobre su frente se aprecia una diadema de pequeñas hojas blancas. La ropa que cubre las piernas de la mujer, está marcada por una franja. Frente a ella está sentado un hombre desnudo con el tirso en la mano izquierda. Su cabeza está adornada con una corona blanca, la capa descansa sobre la rodilla derecha. Detrás del joven está sentada una ménade que se ha vuelto hacia los protagonistas de la escena. Su mano izquierda se apoya en un tímpano y la derecha, en un tirso, el quitón está adornado en la parte delantera con unas bandas ornamentales, el pelo está recogido igual que los cabellos de otra mujer. Encima del hombro derecho de la ménade está pintada la figura de Eros que se acerca volando con una guirnalda blanca en las manos.

El dibujo es rudimentario, los cuerpos de las mujeres (a la vieja usanza) están pintados de blanco, no se respetan las proporciones de las figuras. Todos estos rasgos, al igual que la forma de la crátera son típicos de los últimos decenios de la historia de decoración de vasos. El estilo del maestro se reconoce en los dibujos que adornan cráteras de la misma forma procedentes de la colección del Museo Británico y de la necrópolis de Toya (España); se remontan a mediados del siglo IV a.C.

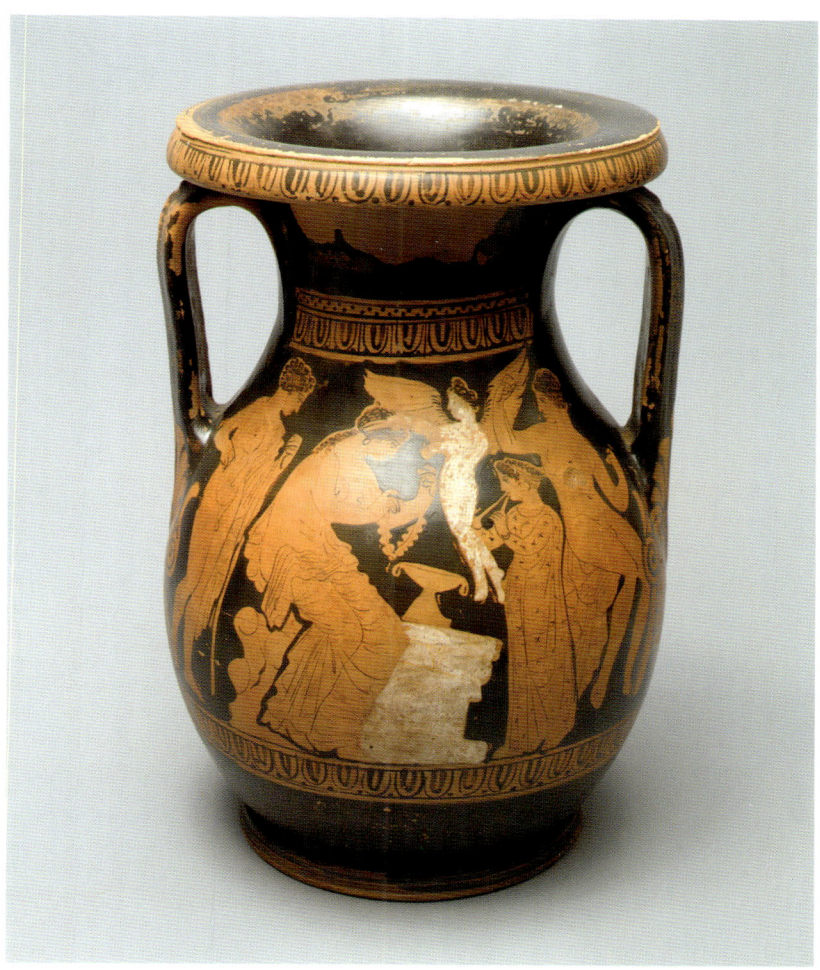

39.- PÉLICE

Alrededor del año 340 a.C., Atica. Estilo de Kerch, círculo del maestro Marcio. Necrópolis, tumba 12 (túmulo a orillas del lago Kamish-Burunskiy). Lutsenko A.E., 1876. Arcilla. Altura, 28,2 cm. ГК/Н.54

Pélice de figuras rojas que por sus forma y decoración es típica del siglo IV a.C.; hileras de ovas adornan el borde del labio, el cuello y la parte inferior del cuerpo. Bajo las asas resaltan unas palmetas.

En la cara se reproduce con toda seguridad las fiestas de Adonis: en el centro se alza un altar sobre el cual está colocado un jarrón (pebetero?) que aparece con frecuencia en composiciones similares. A la izquierda del altar una mujer semidesnuda sentada sobre una roca acerca una guirnalda de flores al jarrón. Eros que flota sobre el altar toca con su mano la cabeza de la mujer. A la derecha del altar una joven toca una flauta doble. Por ambos lados (cerca de las asas del vaso) bordean esta composición las figuras de jóvenes desnudos: el izquierdo se apoya en un cayado y el derecho está sentado en una roca volteado a medias hacia el altar y con la diestra en alto.

La adoración de Adonis como divinidad de la vegetación y la fertilidad que llegó a Grecia procedente de Fenicia, estuvo muy difundida sobre todo entre mujeres. Según la mitología, Perséfone y Afrodita dividieron entre sí al hermoso muchacho permitiéndole permanecer seis meses en la tierra (verano) y otros seis debajo de la tierra (invierno). Las Adonías se celebraban en verano cuando se plantaban en los jardines flores que se marchitaban rápidamente. En la decoración de los vasos áticos empezaron a aparecer escenas evocativas de las adonías en aquéllos que datan de fines del siglo V-siglo IV a.C.

En la cara opuesta están dibujadas tres figuras de jóvenes con capas.

CERÁMICA DE BARNIZ NEGRO

◀ 40.- Vaso plástico en forma de cabeza de Sileno

Siglo I a.C.-siglo I, Asia Menor. Ciudad en ruinas, Khudiak, 1941. Arcilla. Altura, 15 cm; ancho del fondo, 16,5 cm. НΦ .41.157

Vaso de dos asas y cuello ancho con labio vertical moldurado. La cara barbuda de Sileno está minuciosamente modelada. Las cejas pobladas y los arcos supraciliares muy pronunciados hacen resaltar los ojos con pupilas en relieve y párpados hinchados. La boca pequeña y semiabierta con labios carnosos, la nariz respingona, la frente fruncida y las orejas apretadas de asno confieren especial expresividad a la imagen de Sileno. Adorna la cabeza una corona de hiedra. La nuca fue pintada de manera bastante descuidada: las acanaladuras verticales ondulantes imitan los mechones de cabello. El vaso fue fabricado con molde bivalvo, las juntas fueron muy bien aplanadas y los detalles tratados con espátula de madera. La superficie está barnizada de rojo tirando a pardo.

41.- Escifo (bolsal)

Fines del siglo V – comienzos del siglo IV a.C. Atica. Colección de Nóvikov A.V. Arcilla. Dimensiones: altura, 5.1 cm; diám.labio, 10,6 cm; diám.base, 7,1 cm. Б.2278

Escifo de barniz negro con una ranura en la parte inferior de la copa. El fondo exterior conserva el color arcilla y está adornado con franjas anchas y estrechas de barniz con punto en el centro. Dentro de la copa en el fondo, podemos apreciar la decoración estampillada en forma de círculo y cinco palmetas entrelazadas. En algún punto el barniz se vuelve rojizo.

42.- Escifo

Años 430-420 a C. Atica. Tipo A, ático. Colección de Nóvikov A.V. Arcilla. Altura, 8 cm; diámetro, 10,5 cm; diámetro de la base, 7 cm. Б.2276

Este escifo de barniz negro por su forma es una adaptación ática de copas de origen corintio. Está barnizado enteramente, excepto el fondo de la base en forma de disco, que conserva el color arcilla y está adornado con franjas de barniz y un punto central. En el proceso de cocción el barniz oscureció de manera dispar y presenta manchas de color rojizo. En su parte superior el escifo aparece ligeramente deformado, al igual que las asas.

43. Cílica

Siglo IV a.C., Atica. Ciudad en ruinas, santuario de Deméter. Khudiak M.M., 1940. Arcilla. Diámetro del borde, 9,8 cm. НФ .40.297

Cílica de barniz negro sobre un pie moldurado y con grafito en la pared:
K]INNA ΔΗΜΗΤΡΙ
– "A Kinna Deméter"

44.- CÍLICA

Años 450-430 a.C. Atica. Colección de Nóvikov A.V. Arcilla. Altura, 6 cm; diám. labio, 19,5 cm; diám.base 9,9 cm.
Б.2269

Esa cílica grande de barniz negro se apoya en un pie corto de dos escalones. Dentro de la copa hay un saliente; en la parte exterior, junto al labio, están estampados dos angostos cordones y junto al pie, otro más. Ornamentan el fondo una roseta y dos bandas de lengüetas, divididas por series de ovas. Las cadenas en el fondo, abajo, y la parte superior de las lengüetas adentro están realzadas con incisiones sobre el barniz. El estampillado es bastante descuidado.El barniz es de buena calidad.

45.- CÍLICA

Años 450-440 a.C. Atica. Necrópolis, túmulo 24, tumba 19, Lutsenko A.E., 1876. Arcilla. Altura, 7,4 cm; diám. 20,8 cm (con asas, 28,3 cm). ГК/Н.96

Cílica grande de barniz negro y gruesas paredes con el reborde vuelto hacia el interior. El pie es moldurado. Dentro de la copa -en el centro del fondo - se dispone la decoración estampada de cuatro palmetas rodeadas por dos líneas concéntricas grabadas y una guirnalda de hiedra de dos ramas con frutos.

46.- CÍLICA DE BARNIZ NEGRO

Años 450-440 a.C. Atica. Necrópolis, túmulo 24, tumba 19, Lutsenko A.E., 1876. Arcilla. Altura, 7,4 cm; diám. 20,8 cm (con asas, 28,3 cm). ГК/Н.97

Cílica grande de barniz negro y gruesas paredes con el reborde vuelto hacia el interior. El pie es moldurado. Justo en el centro del fondo, dentro de la copa, se dispone la decoración estampillada de cuatro palmetas rodeadas por dos líneas concéntricas grabadas y una guirnalda de hiedra de dos ramas con frutos.

47.- CUENCO

Años 425-400 a.C. Atica. Colección de Nóvikov A.V. Arcilla. Altura, 2,3 cm; diám. labio, 9,2 cm; diám.base 6,8 cm. Б.2292

Este cuenco pequeño y bajo de barniz negro descansa sobre una base en forma de disco, que está separada del cuenco por una franja de color arcilla. En el fondo vemos círculos concéntricos alternantes del color de la arcilla y del barniz. Dentro del cuenco y en el fondo hay imágenes de animales, hechas en técnica de *graffiti*.

48.- SALERO

Años 350-325 a.C. Atica. Colección de Nóvikov A.V. Arcilla. Altura, 2,7 cm; diám.labio, 6,9 cm. Б.2295

Salero de barniz negro y perfil cóncavo, el borde superior está redondeado.

49.- LUCERNA

Mediados del siglo VI a.C., Nymphea. Ciudad en ruinas, santuario de Deméter. Khudiak M.M, 1940. Arcilla. Altura, 13 cm. НФ .40.365

Lucerna abierta de tres picos, de arcilla gris, con un saliente cónico en el centro del fondo.

50.- LUCERNA

Segunda mitad del siglo VI a.C., Nymphea. Ciudad en ruinas, santuario de Deméter. Khudiak M.M, 1941. Arcilla. Altura, 13,4 cm. НФ .41.835

Lucerna de dos picos, fabricada en arcilla gris, con cuerpo redondeado y moldura cónica en el centro del fondo. Defectuosa.

51.- PLATO DE PESCADO

Fines del siglo IV-III a.C. Ciudad en ruinas, cisterna. Grach N.L., 1984. Arcilla. Diámetro,18 cm. HΦ .84.347

Pequeña fuente para pescado de barniz negro sobre un soporte anular. El alero desciende verticalmente, en el centro del plato se dispone el salero.

52.- PLATO

Siglo II a C. Asia Menor. Ciudad en ruinas. Grach N.L., 1985. Arcilla. Diam. 23,6 cm. HΦ .85.414

Una fuente grande de barniz negro con el borde doblado hacia fuera descansa sobre un pie anular bajo.

53.- COPA

Siglo II a C. Asia Menor. Ciudad en ruinas. Grach N.L., 1985. Arcilla. Altura, 8,5 cm, diam. 26 cm. HΦ .85.415

Copa grande de barniz negro sobre un bajo pie anular. En la superficie interior del fondo aparecen estampadas cuatro palmetas dentro de un círculo de incisiones.

54.- Jarro de arcilla roja, boca ancha

Siglo I . Samos (?). Necrópolis, catacumba 26, Grach N.L., 1974. Arcilla. Altura, 17,1 cm. НΗΦ .74.504

El cuerpo globular del jarro descansa sobre una base en forma de anillo. El labio es "abocinado", de molduras escalonadas, el asa está unida al labio al sesgo, en la parte exterior a lo largo del asa hay un pequeño surco. La arcilla estratificada de color ocre y con pequeños puntos brillantes procede, al parecer, de Samos. El barniz de recubrimiento–si es que lo hubo–quedó completamente perdido ya que la capa superficial está fuertemente deteriorada, no se conservan más que ranuras ahondadas.

No existen paralelos exactos de este cántaro, pero por la manera de unir el asa al cuerpo semeja las formas de Samos.

55.- Enócoe

Siglo II, Bósforo. Ciudad en ruinas. Grach N.L., 1972. Arcilla. Altura, 20,4 cm. НΦ .72.798

Enócoe de arcilla roja revestido de negro. Tiene el cuello estrecho y el cuerpo globular con superficie acanalada. El asa está moldurada, por abajo el fondo es cóncavo con un pequeño globo en el centro.

56.- ANFORISCO

Fines del siglo V – comienzos del IV a.C. Atica. Stamped class. Colección de Nóvikov A.V. Arcilla.
Dimensiones: altura, 9,5 cm; diám. labio, 2,7 cm; diám. fondo, 1,2 cm. Б.2255

Anforisco de barniz negro, forma alargada y pie con tres escalones. En el cuerpo y los hombros hay
una decoración estampada. Los hombros están decorados con volutas pintadas descuidadamente.
En el cuerpo se aprecian grandes palmetas de contornos precisos, situadas por arriba y por abajo de
las cuatro cadenas horizontales estampadas antes de la cocción. La cocción es irregular: por un cos-
tado se ve una mancha de barniz marrón. Semejantes anforiscos en miniatura repiten las formas
de las grandes ánforas de fondo puntiagudo que se usaban para guardar vino. La presencia de este
tipo de vasos perdura durante siglos: los más antiguos se remontan a principios del siglo VI a.C.,
mientras que los tardíos datan de la segunda mitad del siglo V-comienzos del siglo IV a.C.

57.- Ungüentario

Siglo III a.C., Bósforo. Ciudad en ruinas. Grach N.L., 1984. Arcilla. Altura, 10 cm.
НФ .84.201

Ungüentario con el labio doblado hacia abajo y escaso cuello de forma casi cilíndrica, cuerpo abombado y pie pequeño. En los hombros y en el cuello aparecen dos franjas de pintura blanca.

58.- Ungüentario

Segunda mitad del siglo III- comienzos del siglo II a.C., Asia Menor. Ciudad en ruinas. Grach N.L., 1985. Arcilla. Altura, 15,4 cm. НФ .85.435

Ungüentario de barniz negro con el cuello alto y levemente ensanchado en su parte superior y con el labio pendiente.Tiene un pie pequeño. El barniz con viso metálico cubre la superficie de una forma irregular. El vaso es asimétrico.

59.- Fragmento de un plato con graffiti

Siglo III a.C. Ciudad en ruinas. Grach N.L., 1982. Arcilla. Altura, 8,5 cm. НФ .82.274

Fragmento de un plato helenístico de barniz rojo. Presenta daños múltiples. En la cara interior se conserva parte de una inscripción rayada de nueve líneas, de las cuales ocho están escritas una debajo de otra y la novena línea está desplazada un poco a la izquierda.

Ἀόλλ [ωνος]	Apolo
Ποσειδ [ωνος]	Poseidón
Ἀθηνάς	Atenas
Ἀφρδ [ίτηων]	Afrodita
5Διοός, Δι<ο>δ[ύμων]	Zeus, de los Gemelos (?)
Ἐρώτων	érotes
Ἡρακ(λ)εό[υς τών	Heracles
περί ση[κόν]	adjunto al santuario (?)
ἐκ τ[ών	procede de

5. Δι<ο>δ[ύμων] -   los Gemelos (=Dioscuros)

60.- Lagino

Fines del siglo III-II a.C. Rodas (?). Ciudad en ruinas. Grach N.L., 1981. Arcilla. Altura, 23,8 cm; diám. cuerpo, 22 cm. НФ .81.143

Lagino de arcilla roja con ancho cuerpo bicónico y cuello alto que va estrechándose hacia la boca. El labio tiene forma de arista aplanada. El asa es ancha y plana. La base es alta, anular.

61.- Copa con decoración en relieve

Siglo II a.C., Delos. Necrópolis, túmulo II, Verebryusov S.V., 1879. Arcilla. Diám.12,8 cm. ГК/Н.179

Copa con el labio ligeramente vuelto hacia el interior, fondo redondeado y ornamento en relieve decorando las paredes. Debajo de la banda de cimacio lésbico se encuentra el friso con la imagen de *bigas* (carro de dos caballos) con *erótes* como aurigas. Luego sigue la decoración habitual de hojas lanceoladas, romboides y acantáceas alternantes con cimas encorvadas. Una roseta de doce pétalos adorna el fondo. La superficie está cubierta de barniz grisáceo con viso metálico. Tanto la calidad de la arcilla y el barniz, como la forma y la decoración indican que la copa procede de Delos.

TERRACOTAS

A lo largo de muchos siglos las figurillas de arcilla cocida no eran más que una producción adicional de los talleres de alfarería, pero con el paso del tiempo creció el papel que desempeñaban en la cultura, se perfeccionó la maestría de los artesanos y, como resultado, la fabricación de terracotas se convirtió, primero, en un oficio y luego en el arte de coroplastia.

El gran número de estatuillas, relieves y toda clase de objetos de terracota, resultado de las excavaciones practicadas en las ciudades y necrópolis antiguas de la parte norte del litoral del Mar Negro proporcionan un abundante material para el estudio de creencias y cultos, mitología y imaginería, tradiciones, costumbres y modo de vida de los habitantes de las colonias griegas, que estaban estrechamente unidas a la metrópolis por relaciones comerciales y de otra índole. Nymphea, al igual que otras *polis,* fundadas por los indígenas de Asia Menor, mantenía unos lazos económicos y espirituales especialmente sólidos precisamente con los centros de Asia Menor, lo que es corroborado por numerosas evidencias, incluidas las figuras de terracota. Entre la producción importada se cuentan piezas fabricadas en Corintio (cat. 69, 70). En los talleres de coroplastia de Nymphea las piezas se hacían tanto en moldes importados (cat. 68), como en moldes propios. Las terracotas del Bósforo permiten hacerse idea acerca del nivel de elaboración y el grado de variedad de motivos decorativos e imágenes mitológicas tradicionales, divulgados en todo el mundo clásico y usados ampliamente en las periferias, donde bajo la influencia de las tradiciones artísticas locales adquerían un aspecto propio, irrepetible.

63.- Máscara teatral

Siglo III a.C. Asia Menor. Ciudad en ruinas. Grach N. L., 1984. Arcilla. Altura, 11 cm. НФ .84.400

Esta máscara de terracota en alto relieve representa un rostro imberbe de un varón con cabello tupido y rizado. Los rizos pequeños se entrelazan con diminutas hojas de hiedra. Tiene anchos pliegues en la frente, el ceño fruncido en actitud colérica sobre los ojos redondos, un poco saltones, enmarcados nítidamente por los párpados hinchados. La elocuencia de la expresión del rostro la completan una nariz grande y encorvada y la abertura de la boca. En el mentón tiene un pequeño hoyuelo. En la superficie quedan manchas oscuras de pintura y restos de pintura de color rosa. El reverso de la máscara fue labrado a mano. La plástica suave y segura del relieve sugiere la existencia de un molde de alta calidad que, según la opinión de N. Grach, lo más probable fuera importado de Asia Menor, mientras que la propia máscara podría ser fabricada en el Bósforo. N. Grach atribuía estilísticamente esa máscara al círculo de talleres de Asia Menor de fines del siglo IV- comienzos del siglo III a C. Por ahora no se ha logrado descubrir paralelos directos entre las máscaras de ese tipo, pero lo más probable es que forme parte de las máscaras teatrales de la nueva comedia ática y, de acuerdo a las descripciones existentes, se la puede atribuir al llamado personaje del efebo virtuoso (Winter, S.430,3; Bieber, Fig. 204 a,b, p 277) de nombre Parasites (Robert, S.23, Fig.51,52, Bieber, Fig. 249 a,b), como también se puede afirmar que se trata de Sátiro (Furtwängler, Sammlung, S.99ff, Taf.CXLII, 1). En todo caso se trata de "un ejemplar rarísimo de la máscara trágica teatral de la época helénica temprana que por lo visto interpretaba el papel apotropaico" (Tesori d´Eurasia, p.144)

64.- Cabeza de mujer

Fines del siglo IV-III a C. Ciudad en ruinas, santuario de Deméter, Khudiak M.M., 1939. Arcilla. Altura, 4 cm. **НФ** .39.466

65.- Cabeza de mujer

Fines del siglo IV-III a C. Ciudad en ruinas, santuario de Deméter, Khudiak M.M, 1939. Arcilla. Altura, 3,5 cm. **НФ** .39.487

66.- PROTOME DE DEMÉTER

Mediados del siglo V a.C. Trabajo local con uso de un molde importado. Ciudad en ruinas, santuario de Deméter. Khudiak M.M., 1939. Arcilla. Altura, 9 cm; ancho, 5,5 cm. ΗΦ .39.550

Busto de la diosa. Cara redonda con rasgos prominentes. El pelo representa una masa homogénea. En la cabeza Deméter lleva *calatos* con el manto. Arriba el busto tiene un orificio para colgar. La superficie del busto conserva restos de enjalbergado blanco.

67.- PROTOME DE DEMÉTER

Comienzos del siglo V a.C. Ciudad en ruinas, santuario de Deméter. Khudiak M.M., 1939. Arcilla. Altura, 8,5 cm. ΗΦ .39.521

Busto de la diosa. En la cabeza Deméter lleva *calatos* del cual desciende un manto en rectos pliegues. La cara es ovalada con rasgos prominentes. El pelo está hecho en forma de tres líneas dentadas. En las orejas la diosa lleva aros. Se cuenta con un orificio para colgar la pieza.

68.- MOLDE Y PIEZA FUNDIDA

Segunda mitad del siglo VI a.C., Samos. Ciudad en ruinas. Khudiak M.M., 1941. Arcilla. 9,4 x 6 cm. ΗΦ .41.959

Molde para confeccionar la parte delantera de la estatuilla del "demonio gordiflón". Esta hecho de una arcilla densa y pesada de color rojianaranjado. La superficie es de color marrón oscuro. Lo que se producía con este molde es la figurilla de un hombre obeso de cara ancha, sentado en cuclillas abrazando su voluminosa barriga. La cabeza está hundida entre los hombros, el mentón se apoya en el pecho grueso. Los rasgos de su cara – frente baja, nariz ancha y chata, labios carnosos – recrean una imagen fea y casi grotesca. El peinado está apenas esbozado por un relieve bajo. Entre las rodillas, como si de un pequeño y redondo botón se tratara, se muestra el falo.

El reverso del molde es liso. Podría ser la mitad de un molde bivalvo para fabricar una estatuilla entera. Fue hallado en la grieta de unas rocas en los alrededores del santuario de Deméter.

69, 70.- Dos figurillas: mono con Luterio

Mediados-tercer cuarto del siglo V a.C.,Corinto. Necrópolis, sarcófago de piedra 28. Lutsenko A.E., 1876. Arcilla, indicios de pintura. Altura, 7,4 cm; 6,8 cm. ГК/Н .138, 139

Estatuilla fragmentada de terracota (cat.64) que representa a un mono sentado rodeando con las piernas un luterio. En los brazos levantados, sobre la cabeza, el simio sostiene un objeto alargado. La cabeza está ligeramente inclinada a la izquierda, la boca entreabierta, en vez de ojos se ven dos círculos negros. Encima de la cabeza se conservan restos de pintura rosa y en la lengua queda algo de pintura roja. Falta parte de la pierna derecha. La otra estatuilla (cat.65) está más deteriorada: le faltan el objeto en las manos, parte del brazo y pierna izquierdos y tiene abolladuras en la rodilla derecha.

71.- ESTATUILLA: FIGURA DE MUJER

Fines del siglo IV a.C., fabricación local. Ciudad en ruinas. Khudiak M.M, 1946. Arcilla, restos de pintura blanca.
Altura, 13,5 cm. НФ .39.514

Estatuilla de terracota representando una figura femenina de pie, ataviada con túnica y himation. Los rasgos del rostro
son irregulares. El cabello está peinado hacia atrás. La mano izquierda de la muchacha se apoya en la cintura mientras
que la derecha, doblada en el codo, reposa en el pecho debajo del manto. Los pies están en movimiento. La estatuilla
es hueca, de dos caras, el anverso no está labrado. En la parte de atrás hay un largo orificio rectangular.

72.- PROTOME DE DEMÉTER

Mediados del siglo V a.C. Ciudad en ruinas, santuario de Deméter. Khudiak M.M., 1939. Arcilla. Altura, 9 cm, ancho max. 6,6 cm. HΦ .39.563

Busto de la diosa con los brazos sobre el pecho. En la cabeza Deméter lleva un *calatos* corto del cual desciende el manto. El pelo en forma de grandes festones enmarca la cara y desciende en rizos hacia el pecho.

73.- ESTATUILLA: EFEDRISMOS

Siglos IV-III a.C. Obra local hecha con molde importado (?). Ciudad en ruinas. Khudiak M.M., 1941. Arcilla. Altura, 14,8 cm. HΦ .41.976

Estatuilla de terracota que representa las figuras de dos muchachas jugando. Una de las jóvenes lleva en su espalda a la otra, sosteniéndola por la rodilla. Es el episodio final del juego a la pelota cuando la chica vencida debía correr cierta distancia llevando sobre sus hombros a la triunfadora. La estatuilla es hueca. El reverso no está entero, tiene una ancha y alargada incisión, la superficie está deslucida, el relieve ligeramente aplanado.

74.- MÁSCARA

Mediados del siglo I- primera mitad del siglo II, Bósforo. Necrópolis, catacumbas 13. Grach N.L., 1974. Arcilla, lustración. Altura, 10 cm. НН Ф .74.205

Pequeña máscara teatral, bastante tosca, hecha de arcilla gris, con superficie brillante y orificios redondos en vez de los ojos.

75.- Máscara de Medusa

Siglos I-II, Bósforo. Eltigen, tumba de tierra Nº 1. Kondakov, 1876. Arcilla. Altura, 11,5 cm. ГК/Н.152

Máscara de Medusa Gorgona. Relieve de terracota hecho en molde.

76.- Medallón: Máscara de Medusa

Siglo I a.C., Bósforo. Necrópolis. Sarcófago de piedra A-80. Grach N.L., 1976. Arcilla. Diám. 14,5 cm. ННФ.76.104

Medallón grande con la imagen de Medusa Gorgona en relieve.

VIDRIO

En los fondos del Ermitage se guardan más de cien vasos de vidrio encontrados en Nimphea y su necrópolis. Una parte la constituyen los vasos de la colección de A. Nóvikov; otra son piezas procedentes de las excavaciones de la necrópolis de Nimphea realizadas en los años 60 y 70 del siglo XIX y la tercera, son los hallazgos de la Expedición Arqueológica del Ermitage.

La colección del vidrio abarca casi todo el peródo de la existencia de Nimphea, o sea, **desde el siglo V a.C. hasta los comienzos del siglo IV d.C.** Las muestras de la exposición, siendo solo una parte de la colección, reflejan, sin embargo, no solo la diversidad de formas, colores y funciones que cumplían los vasos de vidrio, sino también distintas técnicas de su fabricación. Así, en la exposición podemos ver varios vasos arcaicos muy anteriores a la aparición de la técnica de soplado. Los frascos de perfumes que datan del siglo V a. C., estaban hechas con la técnica llamada de *alma:* alrededor del alma de arcilla y arena se enrollaban cordones de vidrio semifundido, que posteriormente se aplanaban en una plancha lisa y, una vez enfriado el vaso, se extraían el alma y terminaban el vaso, dando forma al labio y, si fuera necesario, añadiéndole las asas y el pie (cat.78,79,86). Una abrumadora mayoría de vasos de vidrio de la presente muestra fueron hechos con la técnica de soplado. Dicha técnica, inventada a mediados del siglo I a. C., se convirtió en la más utilizada en la elaboración de vidrio en la antigüedad, ya que simplificó mucho la producción. Los vasos con relieves fueron hechos a molde bivalvo cerrado con la técnica de soplado (cat.80), los jarrones de cuatro aristas se fabricaron en molde abierto (cat.82) y las demás piezas fueron creadas con la técnica de soplado sin molde.

En los siglos I –III la fabricación de vidrio mediante el soplado se impone en todo el mundo antiguo. Los vasos de vidrio llegaban al reino del Bósforo desde distintas partes: desde el Mediterránreo Oriental, incluidos Egipto y Siria (cat.80,88), desde Italia y las tierras del Rhin (cat.82). La colección de piezas de vidrio de Nimphea evidencia la amplia geografía de las importaciones de vidrio.

Además, en los albores de nuestra era en las tierras del reino del Bósforo existían talleres de vidrio propios. La presente exposición cuenta con varios ejemplares de vasos de producción bosforiana.

Entre los artículo de vidrio encontrados en Nimphea ocupa un lugar privilegiado una obra de arte única en su género: el retrato escultórico en miniatura de Livia, esposa del emperador romano Augusto, hecho en vidrio (comienzos del siglo I) (cat.77). En la Edad Antigua eran muy escasas las muestras de la escultura de vidrio. La cabeza esculpida en vidrio de la emperatriz Livia es su único retrato en este material y fue realizado con la técnica de cera perdida. El descubrimiento en las tierras de Nimphea del retrato de la esposa del emperador Augusto tiene gran importancia histórica e ilustra las relaciones que existían entre el Imperio Romano y el reino del Bósforo.

◄ 77.- Retrato de la Emperatriz Livia

No anterior al año 42, Mediterráneo Oriental. Ciudad en ruinas. Grach N.L., 1983. Vidrio transparente de color aguamarina. Altura, 3,5 cm. НФ .82.235

Cabeza esculpida de mujer, ligeramente inclinada y vuelta hacia la derecha. El pelo, dividido por una raya, está recogido con tenia (o cinta). De frente, enmarcan el rostro grandes mechones de pelo sujetos por la cinta. A pesar de un fragmento desprendido, está claro que detrás el peinado terminaba en un moño que descendía a la nuca. La frente baja, los ojos bien separados, la boca pequeña con labios finos y muy apretados y el peinado con un nudo de cabellos bajando a la nuca son rasgos que caracterizan los retratos de Livia, esposa del emperador romano Augusto. La cinta del pelo permite afirmar que en este retrato Livia parece representada como diosa. La esposa de Augusto fue endiosada en el año 42, por eso cabe suponer que el retrato nympheano de Livia fue realizado no antes de esa fecha.

78.- ALABASTRÓN

Principios del siglo V a.C., Mediterráneo Oriental. Necrópolis, sepulcro de lápida Nº 1. Verebrusov S.V., 1878. Vidrio no transparente de colores azul marino, amarillo y azul celeste-turquesa. Altura, 11,8 cm. ГК/Н. 155

Este alabastrón se caracteriza por un cuerpo que va ensanchándose hacia abajo, un cuello corto, un labio ancho en forma de disco y pequeñas orejas. El cuerpo de vidrio azul marino está adornado con hilos de cristal de otros colores: en el borde del labio, un cordón amarillo, la parte superior del cuerpo está decorada con espiral amarilla, debajo de la cual hay filas en zigzags de hilos de vidrio amarillo y azul turquesa: Más abajo hay dos espiras y media de hilo de color amarillo. La parte inferior del cuerpo no tiene ornamento.
Procedimiento: del alma

79.- ALABASTRÓN

Siglo V a.C., Mediterráneo Oriental. Necrópolis, sepulcro de lápida Nº 5. Verebrusov S.V., 1878. Vidrio no transparente de colores negro, blanco y azul celeste-turquesa. Altura, 12,6 cm. ГК/Н. 156

Alabastrón de cuerpo cilíndrico, un pie relativamente alto, el labio discoidal y orejas macizas. Hecho de cristal negro no transparente, este vaso está ornamentado con hilos blancos y azul turquesa; el cuerpo está cubierto con bandas de hilos dobles (blanco y azul celeste). Hilera doble análoga corre por el borde del labio.
Procedimiento: del alma

80.- BOTELLA

Segunda mitad del siglo I, Siria. Colección de Nóvikov A.V. Vidrio transparente, azul celeste, en lugares de engrosamiento se torna azulmarino. Dimensiones: altura, 17,1 cm; diám.labio, 2,4 cm; diám.máximo del cuerpo, 8 cm; diám.del fondo, 3,7 cm. E.642.

Botella de labio cilíndrico, cuello angosto y alto, hombros escalonados, cuerpo globular y fondo plano que sobresale un poco. Adornan el cuerpo los grandes círculos estampados y entrecruzados, cada uno con otro círculo en el centro. Por encima y por debajo de estos círculos hay dobles series de puntos hechos a presión. En el centro del fondo aparecen dos círculos concéntricos en relieve con un punto en el centro. En los hombros y en el cuerpo se ven dos juntas verticales que llegan hasta el fondo. Por consiguiente, la botella fue hecha con una matriz compuesta de tres partes: dos para el cuerpo y una para el fondo. Las partes de la matriz destinadas al cuerpo difieren por su tamaño: una ocupa dos tercios de la superficie de la botella y otra, un tercio.

81.- JARRA

Siglo I, Mediterráneo Oriental. Colección de Nóvikov A.V. Vidrio transparente, color azul cobalto. Dimensiones: altura, 19 cm; diám borde, 4,4 cm; diám fondo 6,8 cm; diám cuerpo, 12,4 cm. E.684.

Jarra de cuello ensanchado hacia abajo y de cuerpo abombado. La parte inferior del cuerpo, muy estrecha y claramente definida, forma un todo único tanto con la parte superior abombada como con el fondo concavo hacia dentro. El asa es plana, con aristas y un saliente vertical en la parte superior. La superficie del vaso está fuertemente deteriorada por la irisación y en muchos puntos ha perdido su brillo original.

82.- JARRA

Principios del siglo II, región de Galia y Rin. Necrópolis, catacumbas 24, entierro P-2. Grach N.L., 1974. Vidrio transparente de un azul celeste intenso. Dimensiones: altura, 22 cm; altura cuerpo, 16,2 cm; fondo 5,5 x 5,5 cm. ΗΗΦ .74.454.

Jarra de cuatro aristas de fondo cuadrado con un cuello ligeramente ensanchado hacia abajo, un labio pendiente y biselado y el asa ancha en forma de cinta con numerosas aristas. El fondo lleva un "sello" en relieve: dos círculos concéntricos atravesados por una cruz en diagonal y con un punto en el centro. Los extremos de la cruz que llegan a los ángulos del fondo están rematados por unos puntos.

83.- COPA

Segunda mitad del siglo I, Chipre. Necrópolis, entierro B-2. Grach N.L., 1976. Vidrio transparente con ligero matiz verdoso. Dimensiones: altura, 14 cm; diám. borde, 7,1 cm; diám.soporte, 3,9 cm. ΗΗΦ .76.206.

Alta copa cónica con 12 acanaladuras verticales. El borde convexo está biselado desde arriba. La base anular y hueca compone una sola pieza con el fondo. El fondo es concavo y forma una semiesfera dentro de la copa.

84.- CUENCO

Segunda mitad del siglo I, Mediterráneo Oriental. Ciudad en ruinas. Khudiak M.M.,1954. Vidrio transparente tirando a azul celeste. Altura, 7 cm. ΗΦ.54.502

Cuenco profundo de labio saliente. La parte central de las paredes es más gruesa y la parte inferior, biselada hacia el fondo. El fondo en el centro es ligeramente concavo.

85.- PALILLO PARA COSMETICOS

Siglos I-II, Mediterráneo Oriental. Necrópolis, catacumba 23. Grach N.L., 1974. Vidrio azul. Longitud, 20,7 cm. HHΦ .74.416.

Palillo en espiral con el anillo en un extremo.

86.- ENÓCOE

Fines del siglo V-principios del siglo IV a.C., Mediterráneo Oriental. Necrópolis, tumba de niño B-1. Grach N.L., 1976. Vidrio semitransparente, de tonalidad azul celeste. Altura, 8 cm; diám.del pie, 2,2 cm. HHΦ .76.199

Onócoe en miniatura con un cuerpo ovoide. El asa se curva por encima del labio y el pie es discoidal. Los bordes del labio y del pie están decorados con hilos de vidrio de púrpura oscuro. Las rayas horizontales están formadas por una espiral de dos o tres vueltas en los hombros y tres espirales en la parte inferior del cuerpo. Entre las bandas inferior y superior se ven cuatro series de zigzags.

87.- PENDIENTE EN FORMA DE CABEZA BARBUDA

Siglos IV-III a.C. Mediterráneo Oriental. Ciudad en ruinas. Skudnova V.M., 1960. Vidrio. Altura, 5,9 cm. НФ .60.467

Pendiente policromado en forma de cabeza masculina. El rostro presenta una prominente nariz, ojos saltones, cejas anchas y barba "asiria" recta, marcada por acanaladuras; el pelo forma series de rizos torcidos. El pendiente con el enganche está fabricado en una técnica de decoración complicada sobrepuesta en vidrio de color, en este caso, de color turquesa. Fue formado manualmente con ayuda de un tubo cerámico y una varita o nucleo de metal, como podemos juzgar por la existencia de un canal vertical, ciego en su parte superior. Los prototipos más tempranos de semejantes adornos fueron hallados en Egipto y datan del siglo VIII a C, pero alcanzaron su mayor popularidad en la época de Ptolomeo, cuando se divulgaron prácticamente por todo el Mediterráneo y los territorios del norte del Mar Negro, Istria, Tracia y el Cáucaso.

88.- JARRA

Siglo IV, Siria. Colección de Nóvikov A.V. Vidrio transparente, color manganeso oscuro. Altura, 34,5 cm (con el asa). E.682.

Jarra de proporciones elegantes. El alto cuello se ensancha hacia arriba y es rematado en campana. El borde aparece biselado.En el cuello se aprecia una moldura superpuesta en forma de cordón. Adornan el cuerpo once finas aristas verticales. El pie moldurado se ensancha hacia abajo. Su parte superior está rodeada por una moldura superpuesta. El asa alta y aristada se curva haciendo un ángulo agudo y arriba presenta un saliente vertical que se sobrepone al borde de la jarra.

ORFEBRERIA

En 1876 fue excavado uno de los túmulos (cat.25) de la necrópolis de Nimphea. En el sepulcro descubierto se encontró un gran número de piezas heterogéneas en cuanto al material y estilo artístico. La mayoría de ellas fue importada de Grecia, pero una parte de hallazgos arqueológicos - incluidos el macizo collar de oro (cat.93) y el casquete en forma de cono truncado (cat.95) - son típicos en los ritos funerarios de características locales inconfundibles.

Quince placas de adorno (cat.90-92, 97) que, por lo visto, engalanaban el tocado —que no se ha conservado hasta nuestros días -, también difieren por su estilo artístico.Unas están hechas al estilo griego (las esfinges o la máscara de Medusa Gorgona), mientras que otras siguen las pautas del estilo "escita" (la cabeza de carnero)

Un par de pendientes (se expone solo una) de la tumba de un túmulo cercano a Nimphea es una muestra del arte de los orfebres de la Grecia Antigua que se inscribe en el estilo llamado "suntuoso". (cat.89)

◀ 89.- Pendiente: Artemisa sobre una gacela

Segunda mitad del siglo IV a.C. Necrópolis, sepulcro de piedra año 1866. Oro, esmalte. Altura, 4,6 cm; longitud, 2,5 cm; peso, 8,57 gramos. ΓΚ/Η.2.

La parte superior del pendiente es una roseta de doce pétalos cóncavos remarcados en sus extremos por alambre fino. En el centro de la roseta está un pequeño vástago con dos filas de angostos pétalos y discos llenos de esmalte sobre unos tallos de alambre. En el centro de la roseta se conserva una diminuta abeja de oro que posa sobre el vástago. A la roseta está sujeto un colgante que representa la figurilla de Artemisa junto a su sagrado gamo. En una mano la diosa sostiene la antorcha, mientras que la otra descansa sobre los cuernos del gamo. El ondulado pelo de la diosa está recogido en un moño en la nuca, en las orejas la diosa lleva pendientes en forma de disco con colgante en forma de pirámide y en el cuello luce un collar. Artemisa viste un *peplo* prendido con broches redondos sobre los hombros y ceñido en la cintura, a la altura de la cintura tiene un manto, calza sandalias. Mediante incisiones ondulantes se imita la piel del gamo. Las figuras de la diosa y del animal fueron fabricadas por separado y unidas posteriormente. Los ganchos del pendiente terminan en pequeñas cabezas de serpiente.

90.- PLACAS: ESFINGE

Mediados del siglo V a.C. Necrópolis, túmulo 24, sepulcro de piedra 19. Liutsenko, 1876. Oro. Altura, 2,8 cm.
ГК/Н. 75.

Dos de cuatro placas de adorno con la imagen, en relieve, de la esfinge sentada de perfil. Las placas recortadas fueron troqueladas y posteriormente repujadas en el anverso. Cuentan con cuatro orificios en sus bordes, para coserlas al atuendo.

91.- Placas: Cabeza de carnero

Mediados del siglo V a.C. Necrópolis, túmulo 24, sepulcro de piedra 19. Lutsenko, 1876. Oro. Altura, 2,4 cm. ГК/И.76.

Dos placas con la imagen en relieve de la cabeza de carnero de frente. Las placas recortadas fueron troqueladas y luego repujadas en el anverso. Cuentan con cuatro orificios en sus bordes, para coserlas al atuendo.

92.- PLACA: MÁSCARA DE MEDUSA GORGONA

Mediados del siglo V a.C. Necrópolis, túmulo 24, sepulcro de piedra 19. Lutsenko, 1876. Oro. Altura, 2 cm.
ГК/Н.77.

Una de las dos placas de adorno con la imagen en relieve de la máscara de Medusa Gorgona de frente. La placa recortada fue troquelada y luego repujada en el anverso. Cuenta con cuatro orificios en sus bordes, para coserla al atuendo.

93.- COLLAR

Mediados del siglo V a.C. Necrópolis, túmulo 24, sepulcro de piedra 19.Lutsenko A.E., 1876. Oro. Diám. 20,9 x 19,2 cm. ГК/Н.81.

Collar macizo en forma de un aro abierto que se ensancha en el centro.

94.- PLACA: ÁGUILA VOLANDO

Mediados del siglo V a.C. Necrópolis, túmulo 24, sepulcro de piedra 19. Lutsenko A.E., 1876. Oro. Altura, 2,2 cm. ГК/Н.79.

Una de las dos placas con la imagen en relieve del águila volando con las alas desplegadas. La placa fue troquelada y luego repujada en el anverso. Cuenta con cuatro orificios en sus bordes, para coserla al atuendo.

95.- CASQUETE

Mediados del siglo V a.C. Necrópolis, túmulo 24, sepulcro de piedra 19. Lutsenko A.E., 1876. Oro. Altura, 4,2 cm. ГК/Н.83

Casquete de forma de cono truncado con el borde doblado para fuera. La parte superior es plana con un orificio redondo en el centro que acaba en un círculo dentado.

96.- Tres placas: Rosetas

Mediados del siglo V a.C. Necrópolis, túmulo 24, sepulcro de piedra 19. Lutsenko A.E., 1876. Oro. Altura, 1,8 cm. ΓK/H.80.

Estas tres placas redondas son rosetas de doce pétalos en relieve que fueron troqueladas y luego repujadas en el anverso.Cuentan con tres orificios en sus bordes, para coserlas al atuendo.

97.- PLACA: CABEZA DE MONO

Mediados del siglo V a.C. Necrópolis, túmulo 24, sepulcro de piedra 19. Lutsenko A.E.,1876. Oro. Altura, 2,2 cm. ГК/Н.78.

Placa con la imagen en relieve de la cabeza de mono de frente. La placa recortada fue troquelada y luego repujada en el anverso. Cuenta con cuatro orificios en sus bordes, para coserla al atuendo.

Monumentos Glípticos

Las gemas y sortijas con sello representan el material arqueológico que refleja el grado de la influencia helénica sobre la cultura de tal o cual localidad. Se sabe que estos objetos, imprescindibles para la vida y la práctica religiosa y jurídica (sellos) de aquellos tiempos remotos, en la vida cotidiana de los bárbaros se convertían en piezas de puro adorno, distintivos de la alta posición de sus dueños. Eso explica un gran número de anillos con rectángulo liso, sin grabados. Son ilustrativas las estadísticas de los hallazgos: en la necrópolis y las ruinas de Panticapea y sus alrededores fueron descubiertas 460 piezas; en Khersones, 265; en Tanagoria, 80; en Olvia, 80 y en Nymphea, 40 (contanto los objetos que se guardan en Moscú, Berlín y Oxford).

Entre las gemas encontradas en Nymphea hay dos escarabeos *greco-persos* (uno está en San Petersburgo y el otro en Oxford), un cilindro de cornalina del estilo arcaico tardío y un escarabajo etrusco del siglo III a C (Berlin). Dos sortijas de oro (en San Petersburgo y en Oxford) se asocian con el taller del grabador Dexameno de Quio. Es de suponer que los anillos de bronce con retratos de Ptolomeo II y Arsinoe III (cat.101), gobernantes de Egipto, pertenecieron a mercaderes y navegantes. Las obras del helenismo tardío y de los tiempos de Augusto (cat.102), producción típica de los artesanos de la glíptica del Bósforo como señalara M. Maksímova, fueron descubiertas en la necrópolis subterránea y catacumbas. El simbolismo de las imágenes de estas piezas está relacionado con Mitrídates IV el Grande (luna menguante y estrella) y con el emperador romano Augusto (que nació bajo la constelación de Capricornio o de la diosa Némesis). Dos sellos del siglo I conservan las inscripciones de "χαρα" y "καλε" (cat.103,104)

◀ 98.- Cilindro con un segmento cortado

Fines del siglo VI – comienzos del V a.C., Mediterráneo Oriental. Necrópolis, sarcófago de piedra. Descubierto por campesinos en 1866. Cornalina. 2,8 x 1,4 cm. ГК/Н.7

Heracles y Apolo luchando por el trípode de Delfos.

99.- Sortija: Jinete

Siglo IV a.C. Nymphea (?). Ciudad en ruinas, santuario de Deméter. Khudiak M.M., 1940. Bronce. Rectángulo: 1,8 x 1,3 cm. HФ .40.154.

100.- Sortija: Macho cabrío frente al herma

Fines del siglo V-principios del siglo IV a.C. Nymphea (?). Necrópolis, túmulo 11. Verebriusov S.V., 1878. Bronce. Rectángulo:1,7 x 1,3 cm. ГК/Н. 172

101.- SORTIJA: RETRATO DE ARSINOE III (?)

Siglo III a.C., Nymphea (?). Ciudad en ruinas, santuario de Deméter. Khudiak M.M., 1940. Bronce. Rectángulo: 1,6 x 0,9 cm. HΦ .39.368

102.- SORTIJA CON GEMA: ISIS

Siglos I-II, Panticapea. Necrópolis, catacumba 18 (junto con cat.104). Grach N.L., 1974. Bronce, cornalina. 0,9 x 0,7 cm. HHΦ .74.339.

103.- Sortija. Inscripción: Xapa

Siglo I, Panticapea (?). Necrópolis, catacumba 8. Grach N.L., 1974. Plata. Diám. 1,9 cm, rectángulo: 1,3 x 0,6 cm. ΗΗΦ .74.112

104.- Sortija con cornalina. Inscripción: ΚΑΛΗ

Siglos I-II. Panticapea. Necrópolis, catacumba 18 (junto con cat.102).Grach N.L., 1974. Bronce, cornalina. 0,8 x 0,4 cm. ΗΗΦ .74.338

El Bronce Artístico

En las excavaciones de Nimphea se descubrieron piezas de oro y plata, bronce e hierro. Cabe destacar los hallazgos procedentes de los sepulcros de la nobleza escita helenizada. Se trata de adornos de oro y placas del mismo metal que se cosían a las prendas de ropa, vajilla y adornos de bronce, armas y armaduras y también componentes de los arreos.

Entre las piezas de bronce resalta una serie de obras de alta calidad artística salidas de los talleres del sur de Italia y Etruria, a saber: una especie de candelabro coronado con la figura de un atleta, fragmentos de una hidria, una enócoe, un colador para vino y un ciato decorado con ornamento grabado y con un asa adornada con cabezas de cisne (cat. 106). Dichos hallazgos confirman una vez más las dinámicas relaciones económicas y comerciales entre Nimphea y las distintas zonas del Mediterráneo y del Mar Negro en el siglo V a C.

Entre los objetos que se enterraban siempre junto con el cuerpo del guerrero escita, estaban sus armas y armaduras. En este tipo de tumbas se encontraron espadas de hierro (cat. 119, 120), puñales, puntas de lanzas y flechas (cat.122), fragmentos de armaduras de hierro, yelmos de bronce (cat.118) y *cnémides* (perneras).

En el siglo V a.C. todos los componentes de la brida de caballo solían hacerse de bronce, excepto el bocado que era de hierro. En los bocados cuyos extremos estaban doblados en forma de lazos se introducían unos vástagos especiales con dos orificios o *psalias* (cat.110) para unir los bocados con las correas que sujetaban la cabeza del animal. Además de las bridas y *psalias* formaban parte de la guarnición las frontaleras de láminas (cat. 116), muy difundidas en el siglo V a C, y diversas placas (cat. 105, 108, 109, 111, 113) que se usaban para separar las correas de la rienda así como con funciones protectora y decorativa. Buenos arreos de caballo - al igual que las armas, atuendos y objetos de culto – eran atributos externos del poder, indicativos de la posición social de su portador. Por regla general, estos objetos se decoraban con imágenes de animales, tanto reales como fantásticos, hechos de una manera muy específica que se dio en llamar "estilo animal escita". Las imágenes de animales en distintos objetos tenían sobre todo un significado mágico y ritual, pero también ofrecían una expresión artística de la visión del mundo y la mentalidad de los escitas.

La imagen central incluía con frecuencia motivos zoomorfos adicionales que daban realce a la figura del protagonista aportando un elemento ornamental a la imagen clave. A veces se recurría a transformaciones zoomorfas. Así, por ejemplo, la placa que en posición vertical es una pata con cadera y pezuñas, en posición horizontal no es otra cosa que el morro de un alce de perfil (cat. 114).

La manera escita de trabajar las piezas de metal estaba muy influenciada por las tallas en madera y hueso que se caracterizan por la rigidez de la estructura, la nitidez de formas y unos contornos precisos. De ahí se derivan el modelado claramente marcado, el laconismo artístico y la tendencia a generalizar que confieren una expresividad extraordinaria a las obras del estilo animal escita.

◄ 105.- Placa: Cabeza de grifo de perfil a la izquierda

Primera mitad del siglo V a.C. Necrópolis, túmulo 24. Lutsenko A.E., 1876. Bronce. Longitud, 4 cm, altura, 3,2 cm. ГК/Н.118

Placa hecha en molde reproduce la cabeza de un grifo mirando a la izquierda. Dentro del plano general de la imagen se destacan, claramente marcados, el ojo grande y saltón y el pico grande y curvado. La parte inferior del pico está delimitada por un surco. Debajo de la pequeña oreja cuadrada aparecen tres volutas en forma de S imitando el penacho. En el reverso hay un enganche en forma de ? para sujetar la placa.

106.- CIATO

Primera mitad del siglo V a.C., Etruria. Necrópolis, túmulo 24, sepulcro de piedra 19. Lutsenko A.E., 1876. Bronce. Longitud, 23 cm; diám. cuenco, 8,9 cm. ГК/Н.93

Ciato de pequeño cuenco y asa plana de sección rectangular rematada en dos cabezas de cisnes sobre altos cuellos. La parte exterior del ciato está decorada con conchas perladas y series de rayas sobre las cabezas de los cisnes y en el borde del cuenco. En el lugar de arranque del asa aparece el dibujo de palmetas y dobles volutas, destacado con insiciones. El asa y el cuenco fueron realizados a molde juntos.

107.- CIATO

Siglo V a.C. Necrópolis, túmulo 17. Lutsenko A.E., 1876. Bronce. Longitud, 38,2 cm; diám.cuenco, 5,2 cm. ГК/Н.42

Ciato con un cuenco profundo y un asa fina de cuatro aristas, rematada en un gancho en forma de cabeza de pato muy estilizada y esquematizada.

108.- Cuatro placas: aves

Primera mitad del siglo V a.C. Necrópolis, túmulo 24, sepulcro de piedra 19. Lutsenko A.E., 1876. Bronce. Longitud, 3,7 – 4,3 cm. ГК/Н.111

Dos pares de placas tridimensionales realizadas a molde y que en su día formaban parte de una brida. Decoran las placas aves sentadas con alas plegadas, un ojo redondo y grande y un macizo y encorvado pico. Las líneas en relieve imitan el plumaje. En el reverso hay un gran lazo arqueado para sujeción.

109.- Placa: Oreja de ciervo

Primera mitad del siglo V a.C. Necrópolis, túmulo 24, sepulcro de piedra 19. Lutsenko A.E., 1876. Bronce. Longitud, 12 cm, ancho, 5,3 cm. ГК/Н.116

Placa hecha a molde en forma de oreja estilizada de ciervo. De un lado en el borde y de otro lado, en la parte inferior se ve un círculo moldurado rematado en los extremos por las volutas encima de las cuales aparece una palmeta de cinco pétalos. La superficie de la placa está decorada con trazos inclinados y paralelos que supuestamente deben representar los pelos dentro de la oreja. En el reverso hay enganches para sujetar.

Las placas de este tipo se hallan con frecuencia en los túmulos escitas.

110.- DOS COMPONENTES DE LA BRIDA

Siglo V a.C. Necrópolis, túmulo 24, sepulcro de piedra 19. Lutsenko A.E., 1876. Bronce. Longitud del alma: 11,3 cm (2), 9,3 cm (2). ГК/H.102.

Dos pares de piezas hechas en molde, que en la antiguedad componían una brida. Tienen forma de L y dos orificios. En uno se conserva aún un fragmento de bocado de hierro. Este tipo de piezas era el más divulgado en el siglo V a.C.

111.- PLACA: CABEZA DE JABALÍ DE PERFIL A LA IZQUIERDA

Primera mitad del siglo V a.C. Necrópolis, túmulo 24. Lutsenko A.E., 1876. Bronce. Longitud, 8,8 cm; altura, 4,5 cm. ГК/H.117

Placa hecha a molde en forma de cabeza de jabalí mirando a la izquierda. Tiene el morro alargado, unas líneas en relieve marcan la boca, los colmillos, el ojo y las cerdas. La oreja se destaca mucho del plano general de la imagen. En el reverso hay un enganche en forma de ? para sujetar. La parte inferior derecha de la placa está desaparecida.

112.- HEBILLA

Fines del siglo II- principios del siglo III. Bósforo. Ciudad en ruinas. Khudiak M.M., 1949. Bronce. Longitud, 6 cm; ancho, 4,5 cm. НФ .49.661

Esa hebilla es un marco rectangular con gancho en forma de cabeza de ave. El fondo del marco se llena con una figura de mujer montando un chivo. La mujer viste un quitón ceñido en la cintura por un cinturón y un manto cuyos pliegues recoge con una mano. Sus pies llegan al suelo. El chivo tiene una pata delantera levantada. Su cabeza con orejas y curvados cuernos está vuelta de frente. Los ojos de ambas figuras son simples y profundos puntos. La tupida piel del animal está representada en relieve. El reverso de la hebilla es liso. La hebilla hecha a molde fue trabajada posteriormente a mano. No hay ninguna duda de que la mujer es Afrodita Pandemos que viaja en el lomo de un chivo.

113.- CABEZA DE ALCE DE PERFIL A LA IZQUIERDA

Primera mitad del siglo V a.C. Necrópolis, túmulo 1. Verebriusov S.V., 1878. Bronce. Longitud, 5,5 cm. ГК/Н.170.

Placa hecha a molde en forma de cabeza de alce mirando a la izquierda. Aquí resalta mucho el ojo redondo y cóncavo. Los cuernos aparecen como dos cabezas de aves dispuestas horizontalmente y mirando hacia abajo con un ojo grande y un pico largo y curvo. En el lugar del que brota la cornamenta hay una media palmeta. En el reverso de la placa se aprecia un enganche en forma de ?.

114.- Placa: Pata y morro de alce

Siglo V a.C. Necrópolis, túmulo 1, sarcófago 14. Verebriusov S.V., 1878. Bronce. Longitud, 8,5 cm; altura, 5,3 cm.
ГК/Н.163

En esta placa hecha en molde y de estilo animal se conjugan dos motivos. En posición vertical (que es funcional) representa esquemáticamente la pata del animal con sus cadera y pezuñas, mientras que en la posición horizontal vemos el morro de perfil a la izquierda con el ojo almendrado y boca dibujada con volutas.
En el reverso hay un lazo para sujetar.

115.- BUSTO DE ISIS.

Siglo IV-III a.C. Ciudad en ruinas,
Khudiak M.M., 1941. Bronce. Alt., 5
cm. НФ 41.469

Imagen de la diosa ataviada con quitón, hecho en alto relieve. La cabeza
de Isis sobre un cuello corto y macizo
está vuelta hacia la izquierda. Tiene la
cara redonda, nariz ancha y los labios
carnosos están fuertemente apretados.
El pelo largo y voluminoso está dividido por una raya central y los bucles
descienden   hacia los hombros.
Corona la cabeza el tocado compuesto de cuernos, plumas y el disco de la
Luna, símbolo de Isis, lo que ha permitido atribuir esta imagen a esa
diosa. De acuerdo a las huellas en el
reverso, esa pieza se sujetaba sobre
alguna base.

116.- FRONTALERA

Siglo V a.C. Necrópolis, túmulo 32,
tumba 14. Lutsenko A.E., 1876.
Bronce. Longitud, 15,7 cm.
ГК/Н.59.

Frontalera, hecha a molde y compuesta de varias placas. Se ensancha en los
extremos y es romboidal en la parte
central. El borde de los lados está decorado con un ornamento en relieve. El
el reverso apreciamos un pequeño lazo
vertical para la sujeción.

Armería

118.- Yelmo

Primera mitad del siglo V a.C. Necrópolis, tumba 16. Liutsenko A.E., 1876. Bronce. Altura, 25 cm; longitud, 21 cm. ГК/Н.68

Yelmo de tipo colquidiano. La parte que cubre la frente presenta un relieve; la que proteje la nariz es pequeña y elegante; la cubrenuca es corta y de forma cóncava; los protectores de las mejillas con piezas redondas para las orejas y la copa del yelmo forman un conjunto.

119.- Espada

Segunda mitad del siglo VI a.C. Necrópolis, tumba Γ-8. Grach N.L., 1976. Hierro. Longitud, 50 cm. ННФ .76.228.

Espada con el puño en forma de barra; la cruz semeja una mariposa y la hoja es larga y de sección romboidal. Fue reconstruida pegando las diferentes partes del arma. Está corroida.

120.- Espada escita

Segunda mitad del siglo VI a.C. Necrópolis, tumba A-8. Grach N.L., 1976. Hierro. Longitud, 26 cm. ННФ .76.32.

Espada escita con el puño en forma de barra; la cruz semeja una mariposa y la hoja, al corte, tiene forma de lente. Muy deteriorada y corroida, la parte inferior de la hoja quedó extraviada. En la hoja se aprecian vestigios de madera y parte de la hoja de una navaja.

121.- Espada

Siglo I. Necrópolis, tumba Γ-2. Grach N.L., 1976. Hierro. Longitud, 50 cm; longitud de la hoja, 36 cm. ННФ .76.221.

Espada de tipo sármata con el puño anular y la cruz en forma de barra.

122.- Juego de puntas de flecha

Segunda mitad del siglo V a.C. Necrópolis, túmulo 24, stumba Nº 19, Lyutsenko A.E, 1876. Bronce. Longitud, 2,4 - 3 cm. ГК/Н.89.

Juego compuesto por 39 puntas triangulares de flechas escitas.

El arco "de tipo escita" fue un arma habitual y, por lo visto, obligatoria para los escitas (Herodoto IV, 81). Los griegos se familiarizaron con esa arma desde el siglo VI a.C. y con frecuencia la colocaban en manos de los héroes que aparecían dibujados en los vasos. En las tierras norteñas adyacentes al Mar Negro, el arco escita fue muy popular. Las puntas de flecha para el arco escita se descubren con frecuencia en las excavaciones de antiguas urbes y en las necrópolis de la nobleza.

Las principales particularidades de esa arma son sus dimensiones relativamente pequeñas (60 - 80 cm) y una estructura sumamente complicada (placas de hueso). De la mayor parte de las flechas se conservan solo las puntas, ya que las astas se deterioran con rapidez. Por lo general, de las astas no quedan más que pequeños fragmentos adheridos al casquillo de la punta. Según resultados de los análisis efectuados, en las tierras al norte del litoral del Mar Negro para la fabricación de astas se usaban fundamentalmente abedul, fresno y caña (Meliukova 1964, p.16) Las puntas de las saetas se hacían de bronce y hierro y a veces, de hueso y madera. Sus formas son muy variadas. De acuerdo a la clasificación de A.I.Meliukova, las puntas de Nymphea pertenecen al grupo III cuya cronología abarca el período entre la segunda mitad del siglo V y comienzos del siglo IV a.C. (Meliukova 1964, p.23-25).

MONEDAS

En el período comprendido entre los años 1939 y 2001 en las excavaciones de Nymphea fueron descubiertas más de 1 500 monedas, entre ellas 75 acuñaciones en seis pequeños tesoros enterrados. La mayor parte de las acuñaciones de los siglos VI-I a.C. son de Panticapea, mientras que las monedas de los siglos I-IV fueron emitidas por los reyes del Bósforo. La moneda más antigua fue acuñada en el segundo cuarto del siglo VI a.C. (cat.124) y la más reciente data del año 324, o del año 620 de la era bosforiana, época en que reinaba Riscuporido IV en el Bósforo.

La mayoría de las monedas acuñadas en las ciudades del Bósforo proceden de Panticapea, pero también las hay de Tanagoria y unos pocos ejemplares son de Teodosia y Gorguippia. Cabe destacar la moneda en cuyo anverso aparece una cabeza de mujer de perfil y que fue puesta en circulación en Nymphea durante su época de independencia. (cat.148)

Son raras las piezas acuñadas fuera de los confines del reino del Bósforo, a excepción de las de las ciudades de Ponto y de Paflagonia de los tiempos de Mitridates Eupator (de fines del siglo II —comienzos del I a.C.). También hay ejemplares únicos de monedas de Cólquida (cat.127), Khersonés (cat.139), Olvia, Istria, Hios y Pergamo (Skudnova 1950, 1952,; Khudiak 1948, Shelov 1951; Golenko 1974).

◄ 123.- MONEDA

Bósforo. Óbolo anónimo. Años 79-63 a. C. Ciudad en ruinas. Grach N.L., 1983. Cobre. Módulo 25 mm. Peso, 15,61 gr. HΦ .83.340

Anverso: Cabeza de Dionisio a la derecha con una corona de hiedra
Reverso: *Gorit* (aljaba escita para guardar el arco y las flechas. *Nota del traductor)*
Zograf, tabl. XLIII, 22-23.

124.- MONEDA

Panticapea. Dióbolo. Segundo cuarto del siglo VI a.C. Ciudad en ruinas. Khudiak M.M., 1939. Plata. 990º. Módulo 12,3 mm. Peso, 1,20 gr. НФ .39.338

Anverso: Cabeza de león de frente
Reverso: Cuadrado incuso con cuatro tablas en relieve.
Zograf, tabl. XXXIX, 20; **M**, tabl.1,7.

125.- MONEDA

Panticapea. Trióbolo. Segunda mitad del siglo VI a.C. Ciudad en ruinas. Khudiak M.M., 1958. Plata. 990º. Módulo 14,2 mm. Peso, 2,55 gr. НФ .58.284

Anverso: Cabeza de león de frente
Reverso: Cuadrado incuso dividido en cuatro compartimientos, en cada compartimiento hay un punto.
Zograf, tabl. XXXIX, 15; МДБ tabl.1,3.

126.- Moneda

Panticapea. Dióbolo. Segundo cuarto del siglo V a.C. Ciudad en ruinas. Khudiak M.M., 1967. Plata. 990º. Módulo 13 mm. Peso, 1,18 gr. НФ .67.59

Anverso: Cabeza de león de frente
Reverso: Cuadrado incuso con cuatro tablas en relieve, en las tablas figuran las letras П / A y dos pequeñas estrellas. *Zograf,* tabl. XXXIX, 20; МДБ , tabl.1,7

127.- Moneda

Cólquida. Hemidracma. Alrededor de los años 420-375 a.C. Ciudad en ruinas. Khudiak M.M., 1941. Plata. 750º. Módulo 11 mm. Peso, 2,87 gr. НФ .41.1144

Anverso: Cabeza a la derecha, enmarcada por un línea
Reverso: Cabeza de toro a la derecha, enmarcada por una línea

128.- MONEDA

Panticapea. Años 315-300 a.C. Ciudad en ruinas. Khudiak M.M., 1940. Cobre. Módulo. Peso, 6,93 gr. НФ .40.91

Anverso: Cabeza de un sátiro imberbe de perfil a la izquierda con una corona de hiedra
Reverso: Cabeza de león a la izquierda. Abajo, un esturión a la izquierda.
Π / A / N

129.- MONEDA

Panticapea. Segundo cuarto del siglo III a.C. Ciudad en ruinas. Sokolova O.Yu.,1991. Cobre. Módulo. Peso, 3,54 gr.
НФ .91.291

Anverso: Cabeza de un sátiro imberbe de perfil a la izquierda con una corona de hiedra
Reverso: Arco, flecha hacia la izquierda. Π / A / N
Zograf, tabl. XLI, 4; МДБ, tabl.VI, 65.

130.- MONEDA

Panticapea. Tetrábolo. Primera mitad y mediados del siglo II a.C. Ciudad en ruinas. Grach N.L., 1979. Plata. 960º. Módulo 13 mm. Peso, 2,19 gr. НФ .79.199

Anverso: Cabeza de Apolo hacia la derecha
Reverso: Protome de un caballo hacia la derecha. ΠΑΝΤΙΚΑΠΑΙ / ΤΩΝ
Zograf, tabl. XLII, 6; МДБ, tabl.VIII, 90.

131.- MONEDA

Panticapea. Dracma. Años 100-90 a.C. Ciudad en ruinas. Grach N.L., 1984. Plata. 800º. Módulo 15 mm. Peso, 3,30 gr. НФ .84.323
Anverso: Cabeza coronada de Dionisio hacia la derecha
Reverso: Gacela que salta hacia la derecha, detras de ella, un tirso. Inscripción en dos líneas:
ΠΑΝΤΙ[ΚΑ]   ΠΑΙΤΩΝ
Reacuñado. *Zograf,* tabl. XLIII, 9.

132.- MONEDA

Gorguippia. Dracma. Años 100-90 a.C. Ciudad en ruinas. Grach N.L., 1982. Plata. 800º. Módulo 15,6 mm. Peso, 2,89 gr. **HΦ** .82.608

Anverso: Cabeza coronada de Dionisio hacia la derecha

Reverso: Gacela que salta hacia la derecha, detras de ella, un tirso. Inscripción en dos líneas:
ΓΟΡΓΙΠ   ΠΕΩΝ

Zograf, tabl. XLIII, 11.

133.- MONEDA

Phanagoria.Tetrakhalk. Años 100-90 a.C. Ciudad en ruinas. Grach N.L., 1985. Cobre. Módulo 20 mm. Peso, 6,94 gr. **HΦ** .85.296

Anverso: Cabeza de Artemisa hacia la derecha

Reverso: Gacela acostada hacia la izquierda. Inscripción en dos líneas:
ΦΑΝΑ[ΓΟ] [ΡΙΤ Ν]

Zograf, tabl. XLIII, 3.

134.- MONEDA

Panticapea. Didracma. Años 90-80 a.C. Ciudad en ruinas. Grach N.L., 1973. Plata. 950º. Módulo 20 mm. Peso, 7,93 gr. НФ .73.750.

Anverso: Cabeza de Dionisio a la derecha con una corona de hiedra
Reverso: Corona que lleva la inscripción:
ΠΑΝΤΙ / ΚΑΠΑΙ / ΤΩΝ
Zograf, tabl. XLIII, 15.

135.- MONEDA

Bósforo. Óbolo anónimo. Años 79-63 a.C. Ciudad en ruinas. Grach N.L., 1983. Cobre. Módulo 25 mm. Peso, 15,61 gr. НФ .83.340.

Anverso: Cabeza de Dionisio a la derecha con una corona de hiedra
Reverso: *Gorit* (aljaba escita para guardar el arco y las flechas. *Nota del traductor*)
Zograf, tabl. XLIII, 22-23

135.- Moneda

Bósforo. Óbolo anónimo. Años 79-63 a.C. Ciudad en ruinas. Skudnova V.M., 1964. Cobre. Módulo. Peso, 11,78 gr. НФ .64.139.

Anverso: Cabeza de Dionisio a la derecha con una corona de hiedra
Reverso: *Gorit,* hacia la izquierda se ve un monograma: BAK, arriba hay una raya y sobre ella, un pequeño círculo. *Zograf,* tabl. XLIII, 23.

136.- Moneda

Bósforo. Mitrídates III. As. Años 39-45. Ciudad en ruinas. Grach N.L., 1978. Cobre. Módulo 24 mm. Peso, 8,09 gr. НФ .78.191

Anverso: ΒΑΣΙΛΕΩΣ ΜΙΘΡΑΔΑΤΟΥ Cabeza del rey de perfil a la derecha con una cinta, alrededor grafila de puntos.
Reverso: Piel de león sobre la maza de Heracles. A la izquierda se ve un arco en el *gorit,* a la derecha, un tridente. Abajo está el símbolo del valor: IB, alrededor grafila de puntos.
 Zograf, tabl. XLVI, 6.

137.- Moneda

Bósforo. Cotis I. As. Años 49-50. Ciudad en ruinas. Skudnova V.M., 1958. Cobre. Peso, 9,71 gr. НФ .58.302.

Anverso: TI_KΛA_ΔIOY KAI_APO_ Cabeza del emperador Claudio de perfil a la derecha con la corona de laurel. Abajo: IB
Reverso: _ΛIANAΓPIΠΠINANKAI_APO. Busto arropado de Agripina a la izquierda. A la derecha se aprecia el monograma: BAK, arriba hay una raya y encima de ella, un pequeño círculo.
Zograf, tabl. XLVI, 9.

138.- Moneda

Bósforo. Fofors. Estatera. Año 584 e.b.=año 289. Ciudad en ruinas. Grach N.L., 1981. Cobre. Módulo, 20 mm. Peso, 7,47 gr. НФ .81.183

Anverso: _BA_IΛEΩ_ΘOΘΩP_OY_ Busto del rey a la derecha, alrededor gráfila de puntos
Reverso: Busto del emperador a la derecha, afrontado a una tamga (*señal de pertenencia que se marcaba con hierro*). Abajo está la fecha:
ΔΠΦ) = año 584 e.b., enmarcado por un punteado.

139.- MONEDA

Khersoneso. Dracma, años 90-80 a.C. Ciudad en ruinas, Khudiak M.M., 1949. Plata. 750º. Módulo 16 mm. Peso, 3,50 gr. НФ .49.27

Anverso: Cabeza de Virgo a la derecha, lleva la aljaba a la espalda.
Reverso: Virgo de perfil a la izquierda hiere con su lanza a una gacela. Detras de la espalda está la inscripción: ΔΗΜΗΤΡΙΟΥ
Zograf, tabl. XXXVI, 18.

140.- MONEDA

Amis. Óbolo. Años 80-70 a.C. Necrópolis, tumba A-181. Grach N.L., 1977. Cobre. Módulo 22 mm. Peso, 12,28 gr. НФ .77.102

Cabeza de Perseo con el yelmo a la derecha.
Reverso: Pegaso a la izquierda. ΑΜΙΣΟΥ

141.- MONEDA

Bósforo. Sauromatio I. Sestercio. Años 108-115. Ciudad en ruinas, tesoro escondido. Khudiak M.M., 1941. Cobre. Módulo. Peso, 10,16 gr. HΦ .41.1160

Anverso: BA☐IΛEΩ☐A☐POMATOY . Busto del rey mirando a la derecha, alrededor gráfila de puntos
Reverso: Niké con corona y ramo de palma mirando a la izquierda, alrededor gráfila de puntos. A los lados aparece la inscripción: M / H .

142.- MONEDA

Bósforo. Sauromatio I. Sestercio. Años 108-115 (?). Ciudad en ruinas, tesoro escondido. Khudiak M.M., 1941. Cobre. Módulo. Peso, 8,79 gr. HΦ .41.1161

Anverso: BA☐IΛEΩ☐A☐POMATOY. Busto del rey a la derecha, alrededor gráfila de puntos
Reverso: Nike con corona y un ramo de palma a la izquierda, alrededor gráfila de puntos. A los lados aparece la inscripción: M / H.

143.- Moneda

Bósforo. Riscupóridos III. Estátera. Año 217. Ciudad en ruinas, tesoro escondido. Khudiak M.M., 1941. Oro 375 º. Módulo, 19 mm. Peso, 7,76 gr. HΦ .41.1217.

Anverso: ΒΑ□ΙΛΕΩ□ΡΗ□ΚΟΥΠΟΡΙΔΟ . Busto del rey coronado de diadema y ataviado con *paludamentum* a la derecha; enfrente tiene un tridente escoltado por delfines. Alrededor gráfila de puntos.

Reverso: Busto del emperador romano con una corona de laurel, llevando la armadura y ataviado con *paludamentum* a la derecha. Abajo aparece la fecha: ΔIΦ (año 514 e.b. = año 217). Alrededor gráfila de puntos.

Зограф, табл . XLIX, 8; *Frolova I*, pl.XLVI,21.

144.- Moneda

Bósforo. Riscuporidos III. Estátera. Año 219. Ciudad en ruinas, tesoro escondido. Khudiak M.M., 1941. Oro 333 º. Módulo 21 mm. Peso, 7,80 gr. HΦ .41.1218

Anverso: ΒΑ□ΙΛΕΩ□ΡΗ□ΚΟΥΠΟΡΙΔΟ . Busto del rey coronado de diadema y ataviado con *paludamentum* a la derecha, enfrente tiene una espada. Alrededor gráfila de puntos.

Reverso: Busto del emperador romano con una corona de laurel, llevando la armadura y ataviado con *paludamentum*, de perfil a la derecha. Abajo aparece la fecha: ΔIΦ (año 516 e.b.= año 219) Alrededor gráfila de puntos.

145.- MONEDA

Bósforo. Riscupóridos III, Estátera. Año 219. Ciudad en ruinas, tesoro escondido. Khudiak M.M., 1941. Oro, 375 º. Módulo19 mm. Peso, 7,65 gr. НФ .41.1219

Anverso: ΒΑ_ΙΛΕΩ_ΡΗ_ΚΟΥΠΟΡΙΔΟΥ. Busto del rey llevando un diadema y ataviado con *paludamentum*, a la derecha. Alrededor gráfila de puntos.

Reverso: Busto del emperador romano con una corona de laurel, llevando la coraza y ataviado con *paludamentum*, a la derecha. Enfrente tiene una estrella de seis puntas. Abajo aparece la fecha: ΔΙΦ (año 516 e.b.= año 219) Alrededor gráfila de puntos. *Frolova I,* pl.XLVII, 37.

146.- MONEDA

Bósforo. Riscupóridos III. Estátera. Año 220. Ciudad en ruinas, tesoro escondido. Khudiak M.M., 1941. Oro 375 º. Módulo 19 mm. Peso, 7,73 gr. НФ .41.1220

Anverso: ΒΑ_ΙΛΕΩ_ΡΗ_ΚΟΥΠΟΡΙΔΟ. Busto del rey llevando un diadema y ataviado con *paludamentum*, a la derecha. Alrededor gráfila de puntos.

Reverso: Busto del emperador romano con una corona de laurel a la derecha, afrontado a una estrella de ocho puntas. Abajo aparece la fecha: ΔΙΦ (año 516 e.b. = año 219) Alrededor gráfila de puntos. *Frolova I,* pl.XLVIII, 12.

147.- Vasija

Siglo III, Bósforo. Ciudad en ruinas. Khudiak M.M., 1941. Arcilla. Altura, 10 cm; diám. cuerpo, 9 cm; diám fondo, 5,5 cm. НФ .41.346

Vasija modelada de paredes redondeadas, un labio bajo doblado hacia fuera y fondo plano. Contenía el tesoro de cuatro monedas de electro y dos de cobre.

Tallas en Piedra

149.- CABEZA DE HERACLES

Primera mitad-mediados del siglo III a.C., Mediterráneo Oriental. Ciudad en ruinas. Skudnova V.M., 1964. Mármol granuloso. Altura, 10,4 cm. НФ .64.119

Fragmento que representa la cabeza de Heracles, cubierta con piel de león. El héroe lleva barba que en grandes mechones ondulados sobresale mucho hacia delante, dando la impresión de que la cabeza está echada hacia atrás. La carnosa boca es demarcada por un bigote largo que llega hasta el mentón. Las sienes están cubiertas por tres filas de rizos que se asoman por debajo de la piel de león. Tiene frente estrecha con cejas prominentes. Los ojos son grandes, saltones y profundos. Las sombras en el entrecejo y la cavidad de los ojos dan la impresión de que los ojos están cerrados o de que tiene la mirada vuelta hacia dentro. La escasa elaboración plástica de la forma se compensa con el rico juego de claroscuros. La manera concisa e impresionista hace recordar la obra de los maestros de los siglos III-II a.C., sobre todo de los talleres insulares y periféricos, así como de los talleres de Alejandría de la época helenística. En cuanto a las peculiaridades plásticas, la cabeza puede ser ubicada en la primera mitad o mediados del siglo III a.C. Por lo que al tipo se refiere, dicho fragmento podría formar parte de un herma más bien que de una estatua. La parte trasera de la cabeza que se quedó sin labrar y algunos paralelos como, por ejemplo, el herma helénico de las excavaciones de Agora ateniense, permiten hacer esta suposición. Los hermas de este tipo eran de diferentes tamaños: desde los grandes hasta miniaturas. Siguiendo la analogía con el herma ateniense, el herma de esa cabeza podría tener unos 40 o 50 cm de altura. Esos hermas en miniatura servían con frecuencia como señales indicativos o letreros de gimnasios y palestras.

150.- Fragmento de estatuilla: Torso de mujer sedente

Siglos V-IV a.C., Grecia. Ciudad en ruinas. Grach N.L., 1980. Mármol. Altura, 9,8 cm; ancho, 6,5 cm. HΦ .80.246

Este fragmento de una estatuilla de mármol, la mitad derecha de una figura desde el cuello hasta la cintura, fue hallado en un estrato junto con cerámica de los siglos III-II a.C. Seguramente por esta razón N.L.Grach, en su informe sobre las excavaciones del año 1980, situó este fragmento en el siglo II a C. A nuestro criterio, dicho fragmento pertenece a una estatuilla que representa una mujer sentada, probablemente Afrodita, ataviada con un quitón sujeto en un hombro y ceñido en la cintura. Un trabajo de buena calidad, con gran sentido de forma y estilo, elaboración minuciosa de mármol en las partes del cuerpo, así como un gran parecido en la distribución de pliegues en el quitón tanto, en la espalda como en el pecho, permiten suponer que la fabricación de esta escultura se remonta a los siglos V-IV a.C.

151.- Fragmento de un relieve votivo con la imagen de Cibeles

Siglos II-I a.C., Bósforo. Ciudad en ruinas. Grach N.L., 1986. Piedra caliza. Dimensiones: altura, 28,8 cm; ancho, 25,2 cm; altura relieve, 2,5 cm. HΦ .86.220

En este relieve situado en un campo profundo limitado a la izquierda por una pilastra con capitel moldurado, se encuentra una figura femenina sentada y de frente, ataviada con la túnica y el manto que desciende a los hombros desde un alto tocado (*calaf)* y un peinado de voluminosos bucles que enmarcan su rostro y cuello. A la izquierda de la diosa, a juzgar por un fragmento desprendido del relieve, se encontraba, con toda seguridad, un alto tímpano característico de la tradición iconográfica de Cibeles. Arriba la losa está decorada con un frontón de acroterios planos y estilizados. Por el dibujo y la elaboración de detalles arquitectónicos, así como por el estilo del relieve, se puede ubicar este monumento en los siglos II-I a.C.

Relieves de Monumentos Funerarios

La colección de relieves en monumentos funerarios del Bósforo perteneciente al Ermitage cuenta con 60 piezas y se formó principalmente en el siglo XIX. La mayoría de lápidas provenientes de Kerch fue enviada por el Museo de esta ciudad a San Petersburgo en 1851 con motivo de la inauguración del Nuevo Ermitage. Otra parte de las estelas se incorporó a la colección a fines del siglo XIX y provenía de la Comisión Arqueológica Imperial. En los últimos decenios nuestra colección aumentó gracias a los hallazgos de la Expedición Arqueológica de Nimphea. La acrótera de caliza, o sea la parte superior de una estela (cat.152), y la lápida del siglo I a C, descubiertos en Nimphea en los años 60 y 70 (cat.154) son brillantes muestras del arte bosforiano autóctono de talla en piedra. La primera pieza representa un monumento fúnebre típico del siglo IV a.C., cuyo principal adorno era precisamente la acrótera con ornamento en relieve en forma de palmeta, en tanto que la segunda pertenece al grupo de lápidas con escenas en relieve que representan a los difuntos heroizados; este tipo de decoración se hizo popular en los primeros siglos de nuestra era.(cat.155)

152.- ACRÓTERA

Segunda mitad del siglo IV a.C., Bósforo. Necrópolis. Grach N.L., 1976. Piedra caliza. Altura, 70 cm; ancho, 50 cm; espesor, 14 cm, altura relieve 0.08-0.23 m. НΗΦ .76.276

Acrótera adaptable que coronaba un monumento funerario. En el plano inferior, a 11 centímetros de los bordes, se cuenta con ranuras de 7 x 5 cm para acoplar la acrótera a la estela. El reverso de la acrótera está redondeado y alisado. Está adornada con decoración en relieve compuesta de hojas, flores de aráceas y tallos gruesos rematados en volutas y pétalos que conforman semipalmetas. En el momento del descubrimiento, en las volutas había pintura azul celeste.

153.- FRAGMENTO DE PEDESTAL CON INSCRIPCIÓN

Mediados - segunda mitad del siglo IV a.C. Bósforo. Ciudad en ruinas. Sokolova O.Yu., 1991. Mármol. Dimensiones: longitud de la parte frontal, 0,085 m; longitud de la parte lateral, 0,125 m; altura, 0,06 m; altura de las letras, 0,5- 0,7 cm. НФ .91.249

Fragmento de pedestal de una estatua pequeña con parte de una dedicatoria. Los ángulos del pedestal están alisados, la parte inferior aparece primorosamente pulida, mientras que los demás lados están cuidadosamente desbastados.

Κομοσαρύ]η (?) Γοργίππ[ου]
[θυγάτηρ ἀν]έθηκεν
[εὐξαμένη?] θειήι

Komosaria, hija de Gorguippo, hizo voto (?) a la diosa

1-2 [Κομοσαρύ]η Γοργίππ[ου] [θυγάτηρ – comp. КБН, 1015
3. εὐξαμένη θειήι - comp. КБН, 1015: εὐξαμένη θειώι;
[Εἴλυ]θέηι – Tokhtasiev S.R. . Votivo de la reina Komosaria. Peterburgskiy arjeologuicheskiy vestnik, Nº8, SPb, 1994, c.80-84

Es probable que Gorguippo cuyo nombre se menciona en la inscripción, sea el hijo de Sátiro I, rey del Bósforo, hermano de Levkon I, rey del Bósforo, tío y suegro de Perisad I, rey del Bósforo. La inscripción no está completa, ya que el nombre de la divinidad se solía poner detrás de la palabra "diosa" y no delante; además, a juzgar por el carácter del tratamiento del pedestal, la parte inferior fue pulida cuando el pedestal volvió a ser utilizado; fue entonces cuando también se alisaron los ángulos. Por lo visto, la altura original del pedestal era diferente.

154.- ESTELA DE MASTA

Segunda mitad del siglo I d.C., Bósforo. Necrópolis. Hallazgo fortuito, 1961. Piedra caliza. Altura, 131 cm; ancho, 41-43 cm; espesor, 20-21 cm, altura relieve, 25-45 cm; altura inscripción, 0.035 m. НФ .62.329

Estela rectangular con un saliente para introducir en el pedestal. Está coronada por un frontón con tres acróteras en forma de palmetas. El campo del relieve lo limitan por los costados unas antas adornadas con bases y capiteles moldurados. El relieve representa a una mujer sentada en un sillón y una sirvienta de pie con un cofre en las manos. Debajo del relieve hay una inscripción que S.R.Tokhtasiev propone leer de esta manera: "Masta, mujer de Sosibio, adios".

[Μ]ΑΣΤΑ ΓΥΝΗ
ΣΩΣΙΒΙΟΥ
[Χ]ΑΙΡΕ

155.- ESTELA FUNERARIA

Mediados-segunda mitad del siglo III a.C., Nymphea. Necrópolis. Recubrimiento de la tumba A-4. Grach N.L., 1973. Piedra caliza. Altura, 72 cm; ancho, 44 cm; espesor, 17 cm. ННФ .73.145

Estela rectangular con la imagen de dos figuras antropomorfas hechas en relieve bajo. Las figuras se encuentran pegadas una a la otra. Unas cabezas redondas contrastan con cuellos largos y rectos asentados en cuerpos rectangulares con hombros visiblemente elevados. En la parte inferior la estela cuenta con un gran vástago para acoplarla al pedestal. La piedra fue labrada con esmero.

Varios

◄ 156.- ADORNO DE SARCOFAGO

Segunda mitad del siglo I-primera mitad del siglo II, Nimphea. Necrópolis, catacumba 26. Grach N.L., 1974. Yeso. Altura, 11.0 cms. HH?.74.562

Adorno fragmentado de un sarcófago de madera en forma de máscara teatral trágica, con los ojos y la boca pintados (tipo 1). La máscara fue fundida en un molde profundo, el reverso del adorno es cóncavo. Los bucles por ambos lados están esbozados por molduras de factura rápida. La parte superior del peinado y el tocado (*oncos*) están ligeramente doblados hacia delante. Se han conservado unos soportes triangulares que se colocaban como topes bajo la barbilla. En el decorado se utilizaron colores llamativos: rosa, azul y negro.

157.- ADORNO DE SARCOFAGO

Segunda mitad del siglo I-primera mita del siglo II, Nimphea. Necrópolis, tumba A-68. Grach N.L., 1974. Yeso. Altura, 10,5 cms. HH?.76.50

Adorno fragmentado de un sarcófago de madera en forma de máscara teatral trágica, con orificios en el lugar de los ojos y la boca (tipo 2). Pieza maciza fundida en molde, el borde inferior es grueso, parejo y liso, los bordes laterales fueron cortados con herramienta, el reverso está alisado, en la parte intermedia a nivel de las ranuras, se observa un surco. La parte frontal está totalmente pintada de color rosa, el relieve es diáfano, los bucles están marcados por unas líneas ondulantes y protuberantes.

158- . ADORNO DE SARCOFAGO

Segunda mitad del siglo I-primera mita del siglo II, Nimphea. Necrópolis, tumba A-68. Grach N.L., 1976. Yeso. Altura, 10,5 cms; ancho, 7.0 cms; altura relieve, 3.0 cm. HH?.76.52

Adorno de un sarcófago de madera en forma de máscara teatral trágica, con los ojos pintados y un orificio en vez de la boca. La máscara fue fundida en un molde profundo, el reverso del adorno es cóncavo. Esta decorada con colores rosa y negro.

159- . ADORNO DE SARCOFAGO

Segunda mitad del siglo I- primera mita del siglo II, Nimphea. Necrópolis, tumba A-68. Grach N.L., 1976. Yeso. Altura, 10,5 cms; ancho, 8.0 cms; altura relieve, 2.5 cms. HH?.76.55

Adorno de un sarcófago de madera en forma de máscara teatral trágica

160.- MOLDE DE FUNDICIÓN

Fines del siglo V- comienzos del IV a.C. Ciudad en ruinas, Grach N.L., 1970. Piedra mergel rosado. Longitud, 10,5 cm, ancho, 5,2 cm, grueso, 2,3 cm. НФ 70.334

Valva de molde de fundición bivalvo para hacer pendientes con pequeñas pirámides en los extremos.

161.- ADORNO DE SARCOFAGO

Segunda mitad del siglo I-primera mita del siglo II, Nymphea. Necrópolis, catacumba 26. Grach N.L., 1974. Yeso. Altura, 10,5 cm, longitud, 13,5 cm. ННФ. 74.560

Adorno de un sarcófago de madera en forma de máscara de Medusa Gorgona con los ojos y las cejas pintados de negro y preponderancia de los colores azul y rosa en los detalles. El rostro redondo y cachetudo, los rizos serpenteantes, el nudo debajo de la barbilla y las alas sobre la frente son representados por molduras. El relieve del rostro no es alto, pero preciso. La pieza fue fundida en molde.

162.- Adorno de Sarcófago

Segunda mitad del siglo I-primera mita del siglo II, Nymphea. Necrópolis, catacumba 26. Grach N.L., 1974. Yeso. Altura, 16 cm. ННФ. 74.564

Adorno fragmentado de sarcófago de madera en forma de figurilla de Atis con un manto desplegado. En su cabeza luce el suave gorro frigio. El brazo izquierdo, doblado en el codo, está levantado y le falta la palma de la mano. En la diestra, alzada a la altura del hombro, sostiene un objeto redondo que puede ser un fruto del granado. Falta el pie izquierdo de tobillo para abajo.

La figurilla fue hecha en molde por partes y los detalles se añadieron y se trabajaron manualmente. Se conservan algunas insignificantes huellas de pintura negra y rosa sobre el fondo blanco.

163- . Adorno de sarcofago

Segunda mitad del siglo I-primera mitad del siglo II, Nimphea. Necrópolis, catacumba 26. Grach N.L., 1974. Yeso. Diám. 8 cm y 7 cm. HHF.74.569

Adornos de un sarcófago de madera en forma de dos rosetas multipétalos. Pieza fundida en molde. Los pétalos están pintados de color rosa uno si y otro no.

164- . Adorno de sarcofago

Segunda mitad del siglo I-primera mitad del siglo II, Nymphea. Necrópolis, catacumba 26. Grach N.L., 1974. Yeso. Altura 5.5 cm y 3.0 cm. HHF.74.566

Dos adornos de sarcófago en forma de palmeta con el núcleo ovalado, resaltado por el relieve y pintado de color rosa. Pieza fundida en molde.

PESAS DE PLOMO

En las excavaciones de la ciudad bosforiana de Nymphea fueron descubiertas varias pesas de plomo y fragmentos exhibiéndose en esta sala dos de ellos. Entre las pesas de plomo de distinto valor destacan aquellas que servían de patrón de referencia. Los nombres de *agoranomos,* o sea, los funcionarios que supervisaban los mercados urbanos, sus monogramas o emblemas garantizaban el peso exacto de estas piezas (cat. 159). En una pesa de Nymphea están grabados los nombres de tres *agoranomos.* Por lo general, a estos menesteres se dedicaba una sola persona. La presencia de tres supervisores en Nymphea obedece, por lo visto, al gran volumen de transacciones comerciales en el mercado de esa *polis.* Otro grupo predominante entre los hallazgos son pesas sencillas sin ningún tipo de símbolos ni imágenes.

165.- Pesa de contraste con los nombres de Agoránomos

Siglo III a.C. Ciudad en ruinas, Grach N.L., 1970. Plomo. Longitud, 6 cm; ancho, 6 cm; espesor, 0,8-1 cm. Peso: 256.95 gr. НФ.70.326

Entre las pesas de plomo de la antigüedad destaca un grupo que se usaban para contrastar, o sea, servían de modelo o patrón de referencia. La exactitud de su peso venía garantizada por los nombres de los agoránomos o funcionarios –supervisores de mercados urbanos o por sus monogramas y signos emblemáticos. A este grupo pertenece una pesa encontrada en Nymphea que tiene forma de un cuadrado irregular. En su anverso están representados el caduceo de Hermes, una parra cargada de pámpanos y frutos de vid y un monograma en el ángulo inferior derecho.

En el reverso aparece una inscripción de cinco líneas:

ΑΓΟΡΑΝΟ
ΜΟΥΝΤΟΝ
ΤΙΜΕΥ
ΜΟΥ
ΕΠΙΚΡΑΤΟΥ

(Pesa de agoránomos Timeo…. ma, Epicrates) La imagen y la inscripción están dibujadas con líneas en relieve, al igual que el marco de unos 0,3 cm de ancho. En la arista derecha tiene un pequeño hueco no muy profundo.

166.- PESA

Siglo II (?) Bósforo. Ciudad en ruinas. Sokolova, 1991. Bronce. Longitud, 2,4 cm; ancho, 2,1 cm. Peso, 10.24 gr. HΦ .91

Placa hecha de una moneda bosforiana desgastada y cortada de la época de Riscuporido II, datada de los años 90-93 (Frolova I., pl.IV, Nº 17).

En una cara vemos el busto del rey, hacia la derecha, con una maza detrás de él. De la leyenda grabada en la moneda quedan algunas letras: 7IOv Λ7777ΠΟΡΙΔ777_0

En el reverso: Niké mirando a la izquierda sostiene en la diestra una corona. La placa está agrietada en el centro.

LISTA DE PIEZAS PARA LA EXPOSICIÓN

1.- DOS FRAGMENTOS DE REVESTIMIENTO DE UNA PARED CON PINTURA POLICROMADA

Bibliografía:Grach 1984a, Grach 1987; Scythica Basch Hockmann O. Antike Seefahrt. München, 1985, p.106-114; Höckmann O. Graffiti of Helenistic ships from the Aphroditeon at Nymphaion// Bosporskiy gorod Nimphey: noviye issledovaniya y materiali i voprosi izucheniya antichnij gorodov Severnogo Prichernomoriya. ТД. СПб, изд ГЭ, 1999, c.94-97; Höckmann O. Navaland Other Graffiti from Nymphaion// Ancient civilizations from Scythia to Siberia. An International Journal of Comparative Studies in History and Archaeology, vol.5, № 4, Brill, 1999, Leiden-Boston-Köln, p. 303-356; Semenov 1994; Gagen, Gavrilenko; Gagen 1995; Vinogradov Ju.G. Der Staatsbesuch der "Isis" im Bosporos// Ancient civilizations from Scythia to Siberia. An International Journal of Comparative Studies in History and Archaeology, vol.5, № 4, Brill,1999, Leiden-Boston-Köln, p.271-302; Katalog 1999, c.23-24, kat.11.

2.- ACRÓTERA: PALMETA

Bibliografía: Khudiak 1958, c. 52; Khudiak 1962, tabl.23,1; Skudnova1959, c. 44-45; Tesori d´ Eurasia, p.141, cat.174; АГСП 1984, tabl XCI, 2; Marchenko I.D. Ob akroteriaj Pantikapeya//СГМИИ,vip.7, 1984, c. 57-60, ris.2, Katalog 1999, c.23, kat.6

Paralelos: Akurgal E., Budde L. Vorlaufiger Berich uber die Ausgrabungen in Sinope // Turk Kurumu Jayinlarinder, 1956, Bd.V, Seri N 14, Ankara, Taf. X, c, o

3.- ACRÓTERA CON CABEZA DE MUJER

Bibliografía: Khudiak 1952b, c. 80 ris. 5; Skudnova *V.M. K voprosu o torgovij sviaziaj Sinopi s Bosforom v V v. do n.e. // ТГЭ, 1958, t. II, c.. 79, ris 9;* Khudiak 1962, c. 30, ris 9: Khudiak 1962, c. 30, tabl. 24; Marchenko 1999 c. 57-60, ris. 1; Tesori d´Eurasia, p. 141, cat.175; Katalog 1999, c.23, kat.7

4.- FRAGMENTO DE UNA PIEZA ARQUITECTÓNICA

Bibliografía: Khudiak 1962, c.30, tabl.23; Katalog 1999,c. 23, cat.8

Paralelos: *Akurgal E., Buddi L. Vorlaufiger Bericht uber die Ansgrabungen in Sinope* // Turk Kurumu Jayinlarinder, 1956, Bd. V, Seri N 14, Taf.X,c,o.

5.- JARRA (Mykés)

Bibliografía: Noviye postupleniya, *p.*120, N° 830; Katalog 1999, p. 32, kat. 36, ill. en p. 30

Paralelos: Shmidt *R.V.* Grecheskaya arjaicheskaya keramika. Mirmekia y Tiritaki//МИА 25, 1952, c.242 и sl., ris.10,1,3; Ashrafian A.A. Ioniyskiy sosud V v. do n.e. Roksolanskogo gorodisha//MAC, 1962, vip.4, Odesa, c. 218 i sl., ris I; *Historia IV*, p. 103

6.- ANTEFIJA

Bibliografía: Katalog 1999, p.24, kat.12, ill.na c.22

7.- FRAGMENTO DE UN ALTAR

Bibliografía : Scythica, p. 90, Taf. 33; Katalog 1999, kat. 14

8.- TAMBOR DE UNA COLUMNA

9.- PIXIDE

Bibliografía: Silantieva *1959*, c. 41-42, ris.18 (verkh)

Analogía: *Greifenhagen A.* Ausserattische Schwarzfigurige Vasen in Akademischen Kunstmuseum zu Bonn // Jdf, 1936, Bd. 5, S. 382-384, Abb, 37. ГЭ, Б9016, Б9137 (colección de I. I. Tolstoi)

10.- PIXIDE

Paralelos: *CVA,* Schloss Fasanerie, fasc.2, Tar.60,12; *CVA,* Cambridge, fasc. 2, pl.30, 24; *Corinth,* XV, p.3, pl. 45, 1019

11. - LÉCITO
Bibliografía: Katalog 1999, p.36, kat.47, ill. en p. 34
Paralelos: Atenas, colleción de la Escuela Francesa.
N° de inventario V76.76-BCH,96, 1972 p.52, fig.37, 39; acerca del maestro- Haspels, ABL., p.170 ff.

CERÁMICA DE FIGURAS NEGRAS

12.- FRAGMENTO DE CRÁTERA DE FIGURAS NEGRAS
Bibliografía: Skudnova 1956, c.45-46; Gorbunova K. S. Chernofigurniy krater mastera Lidosa//CA, 1964,№ 3, c.300, prim.II; Katalog 1999, p. 32, kat. 37, ill. en p. 33
Paralelos: Gorbunova K.S. Chernofigurniy krater mastera Lidosa// CA, 1964, № 3, p.297-301.

13.- HIDRIA
Bibliografía: Khudiak 1948, c 37; Khudiak 1952, c.260, рис.20; Khudiak 1962, c.47, табл. 42,1
Paralelos: Colección de antigüedades de la Universidad de Yale, N 111-Haspel ABL, N 221; Museo de Arte de Boston, N 76.42-Beazley ABV, p. 478, N 5; Museo Británico, N WT.220-Haspel ABL, p.219, N 65

14.- LÉCITO
Bibliografía: Katalog 1999,c.35, kat.42, ill na c.33; Grach 1999, c.74-75, tabl 99.4
Paralelos: CVA, Palermo, fasc.1, pl.2221, 11-12 (en cuanto a la forma); Bothmer D. von Amazons in Greek Art. Oxfort, 1957, p. 531q, pl.XLVI,3

15.- LECITO
Bibliografía: Silantieva 1959, c 29-30, ris.10; Katalog 1999,c.35, kat.41
Paralelos: por la forma y elaboración de las palmetas cabe la comparación con los lécitos del maestro Atenas – Gorbunova 1983, kat.120; CVA, Castle Ashby, pl. 23, 3, 4, 5-7; Oxford, museo Ashmolean, N 1935.2-Kurtz, pl. 67.3; p. 16, 23, 79,115,120,121

16.- LÉCITO
Bibliografía: Nuevas aportaciones 1977 (versión en ruso); Katalog 1999, p.35, kat. 43, ill.en p. 34; Grach 1999, p.101, tabl.146,5
Paralelos: Gaidukevich 1959, c. 171, prim. 69, ris. 32.1; Kozub Yu.I. Lekifi oliviyskogo necropolyu V-VI ст. a.C.// Arjeologia, 1962, XIV, Kiev, c.119-120, tabl.1,3; ГЭ.П. 1897.4

17.- LÉCITO
Bibliografia: Silantieva 1959, p.30-31, dib. 9.3; Katalog 1999, p.35, kat.45, ill. en p. 34;
Paralelos: CVA, Hamburg, Bd.I, Taf. 32.8; CVA, Reading, pl.12,7; CVA, Bucuresti, pl.31, 11

18.- ÁNFORA CON TAPADERA
Bibliografía: Beazley AV, p.245, pl.1; Beazley ARV 1, p.376, pl. 59. Richter, p.96; Beazley ARV 2, p.570, N 70; Greek Vase-Painting in Midwestern Collections, The Art Institute of Chicago, 1979, p.169, 171; Peredolskaya, № 95, c. 95-96, tabl.71; Katalog 1999, c.38, kat.52, ill na c.37.

19.- HIDRIA-CÁLPIDE
Bibliografía: Grach 1979, c. 322; Katalog 1999, c.40, kat.60, ill na c.39
Paralelos: Museo de Spina, N 2682-Spina, N 151, p.66

CERÁMICA DE FIGURAS ROJAS

20.- ESCIFO
Bibliografía: OAK 1876, c. XVIII; OAK 1877, tabl.IV, 1,2,3, Silántieva, 1959, c.58, 104, ris. 27, Rostovtsev 1925, c.392, Peredólskaya, c.137, prim.7, Beazley ARV2, p.551, N22

21.- FRAGMENTO DE UNA CÍLICA

Bibliografía: Katalog 1999, c.40, kat.58, ill na c.39.

· Paralelos: Museo Ashmolean, V 534 (años 435-430 a.C.)-*Lezzi-Hafter A.* Der Eritria-Maler, Taf. 195a; Wurzburg, N 491-*Langlotz E.* Die Griechischen Vasen in Wurzburg, 1932, S. 97

22.- CÍLICA (stemless cup)

Bibliografía: OAK 1876, c. XVI; Beazley AV. p.319; Silántieva 1959, c. 40-41, ris. 17; Peredolskaya, c. 137, prim 3; Beazley ARV 2, p. 832, N 26

23.- PÉLICE

Bibliografía: OAK 1876, c.XI; Schefold UKV, p. 50, N° 464; Silántieva 1959, c. 48-50, 99, ris. 22; Margos R. Une pelike antique a figure rouges du IV siecle avant J.C. (Musee Royaux därt et histoire), p.47, N° 4; Katalog 1999, c.42, kat.72

24.- PELICE

Bibliografía: Beazley, ARV 2, 1466, 92; Katalog 1999, c.44, kat.76, ill na c.45

Paralelos: Ancona. Museo Nacional, inv.3680 (procede de S. Paolina di Filotrano, tumba XIII- necrópolis de los galos) - La ceramica Attica figurata nelle Marche (mostra didactica); Louvre, MN 750 –Beazley ARV 2, 1465,75

25.- LÉCITO ARIBALÍSTICO

Bibliografía: Noviye postupleniya 1977, c.121, kat.846; Katalog 1999, c.41, kat.65, ill. na c.43; Grach 1999, c.91, ris.35.1, tabl.128,7

Paralelos: Cracovia, 120762-CVA,Pologne, fasc.2, pl.96; Oxford, 1910.71-CVA, Gr.Br., fasc.3 (132), 8

26.- LÉCITO ARIBALÍSTICO

Bibliografía: Noviye postupleniya, c.121,kat.845; Katalog 1999, c.41, kat.66, ill na c.43; Grach 1999, c.91-92, ris. 35,7, tabl.128.10.

Paralelos: *CVA*, Copenhagen, III, pl. 168

27.- ENÓCOE

Bibliografía: Novye postuplenia, c.121.кат.842; Katalog 1999, c.41, kat.67, ill na c.43; Grach 1999, c.91, ris. 35,6, tabl.128.9.

. Paralelos: Berlin, Universidad, 4982.26-Hoorn G.van. Choes and Anthesteria. Leiden, 1951, p.107, N 342, fig.523

28.- LÉCITO ARIBALÍSTICO

Bibliografía: Novye postuplenia, c.121.кат.847; Katalog 1999, c.41-42, kat.68, ill na c.43; Grach 1999, c.91, ris.35,2, tabl.128.6

Paralelos: Bucarest –CVA, Romania, fasc.1, 35, 2 (primera mitad del siglo IV a.C.)

29.- ENÓCOE

Bibliografía: Novye postuplenia 1977, c.121.кат.843; Katalog 1999, c.42, kat.69, ill na c.43; Grach 1999, c.91, ris.35,5, tabl.128.11.

Analogía: Hoorn G. van. Choes and Anthesteria, Leiden, 1951, N 227, 228

30.- ENÓCOE

Bibliografía: Novye postuplenia 1977, c.121.кат.844; Katalog 1999 ill. c. 43 (sin número, en el grupo de vasos de la foto superior), Grach 1999, c.92, ris. 35, 3, tabl. 128,8.

31. ASCOS

Bibliografía: Noviye postupleniya 1977. c.121, kat.849.

Paralelos: ГЭ,Х.1903.97-ТГЭ,XVII,1976, c.114, ris.2; Oilynthus, XIII (1950), № 458; Agora, XII, №1188; CVA, Italia, 23, pl.41,11-12; Histria, IV (1978), № 475, pl.55; CVA, Gr.Br., 3 (Oxford,1) iv/329, pl.45,9 (dibujo), Izmir, Museo Arqueológico (de Smirna)

32.- FRAGMENTO DE ASCOS

33.- TAPADERA DE PIXIDE (forma D)
Paralelos: CVA, Gr.Br., (Castle Ashby), 62, pl.40; G.von Hoorn, Choes and Anthesteria. Leiden, 1951, № 346, fig.6; en cuanto a la forma: Olynthus, XIII, nn.66-69: Schefold, UKV, n.585, Abb.8,9.

34.- PIXIDE
Bibliografía: Tesori d¨Eurasia, p. 140, N° 173; Katalog 1999, c.42, kat.70, ill.na c.43; Grach 1999, c.69, ris.29, tabl.135,4
Sobre la forma de la concha véase – Delorme J. Roux Ch. Guide illustre de la faune aquatique dans l¨art grec. Joan-les-Pins, 1987, p. 25, 100, fig. 4.
Paralelos:Agora XII, N°1311, p.177-178, pl.43, Olymph V.N°201.

35.- ENÓCOE
Bibliografía: OAK 1913-1915, c.103, ris. 172; Schefold, UKV,S.36,320; Lullies R. Die Typen der Griechischen Herme. Konigsberg, 1931, S. 31,45. Taf. 6.I; Hoorn G, van. Choes and Anthesteria. Leiden, 1951, p.139, N 603, pl. 53; H. Metsger. Recherches sur l´imagerie athenienne. Paris, 1965, p.60-68, № 21, pl. XXVII, 3

36.- PÉLICE
Bibliografía: Katalog 1999, c. 44, kat. 75, ill. na c. 45
Paralelos: Madrid N° 11210 –Beazley, ARV 2, 1464, 39

37.- LÉCITO ARIBALÍSTICO
Bibliografía: Katalog 1999, c.40, kat.57, ill na c.37.
Paralelos: Basilea, Museo de antigüedades, BS. 461-CVA, Basel, fasc. 3, Taf. 35, 1-3

38.- CRATERA (bell)
Bibliografía: OAK de 1867, p. XVI; Silantieva, p.7, 16, 97, fig.3.
Paralelos: London, Museo Británico - Beazley, ARV 2, 1448, 5; necrópolis de Toya –Beazley, ARV 2, 1448, 1,3

39. - PÉLICE
Bibliografía: OAK 1876, c.XVI; OAK 1877, c 25-55; Silantieva, 1959, c. 47-50, 99, ris. 21
Paralelos: en cuanto al argumento, véase la hidria en Nueva York, Metropolitan museum 26.60.75-Schefold, UKV, Nr.191, Abb.3; lécito-ГЭ, Б.2024- Schefold, Nr.292, Taf.18, lécane- ГЭ, T.1885.3- Schefold, UKV, Nr.20, Taf.2.2

40.- VASO PLÁSTICO EN FORMA DE CABEZA DE SILENO
Bibliografía: Khudiak 1948, c.38 (bez ill.); Tesori d´Eurasia, cat.179; Katalog 1999, c.59, kat.127, ill. na c. 60

CERÁMICA DE BARNIZ NEGRO

41.- ESCIFO (bolsal)
Bibliografía: Katalog 1999, c.50, kat.93, ill na c.49
Paralelos: Museo de Agora. P21356, P10116 – Agora XII, p.2, N° 549, pl. 24,53, ГЭ, Б.2277 – Katalog 1999, c. kat, ill. na c.; Oxford, Museo Ashmolean, N 1966, 398 – Beazley's gifts, 418, p 111, pl.LVIII.

42.- ESCIFO
Bibliografía: Katalog 1999, c.48, kat.89, ill na c.49
Paralelos: Museo de Agora, P23824 – Agora XII, N° 345, Oxford, Museo Ashmolean, N 1966,400 –Beazley's gifts, N 412, p.100, pl.LVII

43.- CÍLICA
Bibliografía: Tolstoy I.I. Grecheskiye graffiti drevnij gorodov Severnogo Prichernomoriya. M. –L., 1953, c.81, № 125; Khudiak 1952, c.267, ris.25,1; Khudiak 1962, c.51, tabl.44,4

44.- CÍLICA
     Bibliografía: Katalog 1999, c.46, kat.85, ill na c.47
     Paralelos: Museo de Agora. P 5332, P48846 - Agora XII, N 484, 490, pl.23, 50, fig.5 (Delicate class)

45.- CÍLICA
     Bibliografía: OAK 1876, c. 229-230; Stephani. Pl. 3, form.151: Silantieva, Dva kilika iz nekropolia Nimpheya// NGE, 1958, t.II, c- 67-73; Agora, XII, P.1, p.26, note 58
     Paralelos: GE, ГК/Н.97 (cat.41); Londres, Museo Británico, inv.64.10-7.1591 – AK XI, 1968, pl.1.

46.- CÍLICA DE BARNIZ NEGRO
     Bibliografía: OAK 1876, c. 229-230; Stephani. Pl. 3, form.151: Silantieva, Dva kilika iz nekropolia Nimpheya// NGE, 1958, t.II, c- 67-73; Agora, XII, P.1, p.26, note 58
     Paralelos: GE, ГК/Н.96 (cat.40); Londres, Museo Británico, inv.64.10-7.1591 – AK XI, 1968, pl.1.

47.- CUENCO (small bowl)
     Bibliografía: Katalog 1999, c.46, kat.88, ill na c.47
     Paralelos: Museo de Agora. P 16952 – Agora XII, N° 867, pl.33; Chipre, Larnaca, col. de Pieridis – Maffre 1971, N° 36, fig. 43. Agrigente, necrópolis Contrada Pezzino, tumba 592 – Veder Greco, p. 379.

48.- SALERO
     Bibliografía: Katalog 1999, c.50, kat.97
     Paralelos: Museo de Agora, P.12821 – Agora XII, № 937, pl.34, fig.9; Oxford, Museo Ashmolean, № 1966.352– Beazley´s gifts, № 427, pl.LIX.

49.- LUCERNA
     Bibliografía: Khudiak 1962, c.44, tabl..37, 4; Tsvetaeva 1966, tabl.17, 9 Katalog 1999, c.65, kat.145, ill. na c. 67
     Paralelos: ГЭ, НФ.40.366
50. (cat. 146) . LUCERNA
     Bibliografía: Khudiak 1962, c.44, tabl..37, 4; Tsvetaeva 1966, tabl.17, 11, Katalog 1999, c.65, kat.146, ill. na c. 67

51.- PLATO DE PESCADO
     Bibliografía: Katalog 1999, c.51, kat.99, ill. na c. 53
     Paralelos: Apolonia, p.231-232, tabl.121-122

52.- PLATO
     Bibliografía: Katalog 1999, c.52, kat..104, ill. na c. 53
     Paralelos: Hesperia III, p. 395, fig.116 (E 19); Maksimova, 1979,
c. 104, dibujo 40, graf. II

53.- COPA
     Bibliografía: Katalog 1999, c.52, kat..105, ill. na c. 53
     Paralelos: Maksimova, 1979, c. 111, dib.48, tabl. V

54.- JARRO DE ARCILLA ROJA, BOCA ANCHA
     Bibliografía: Novie postuplenia 1977, c, N° ; Jijina 1997, c.153,155,161, N°2, ris.5 a,b; Jijina, p.206, 213, fig.5; Katalog 1999, c.56, kat.122, ill.na c. 58: Grach 1999, c.169, kat 53, tabl. 176.7
     Paralelos: Schneider A. M. Samos in Fruhchristlischer und Byzantinischer Zeit // AM, 1929, Bd. 54, S.96-141, Fig.23

55.- ENÓCOE
     Bibliografía: Katalog 1999, c.56., 59, kat. 126, ill. na c.58
     Paralelos: Agora V, pl. 14 (K 106); Zubar, p.73-74, graf.44, 11; 47, 3

56.- ANFORISCO
     Bibliografía: Katalog 1999, c.50, kat.95, ill na c.49

Paralelos: ГЭ, N° Б2115, Б2116, Б2588, 4785,4787,9200. Varsovia. Museo Nacional, N° 198076 – CVA, Pologne. Fasc. 9. Pl.389(13),4; Cracovia, Museo Nacional, N.6198-CVA (2).16; Atenas, Colección particular. – Agora XII, N1159, pl.39,48; Copenhague, 480 – CVA4 (4), 179, 12

57.- UNGÜENTARIO
Bibliografía: Katalog 1999, c.51, kat..102, ill. na c. 53
Paralelos: Hesperia III, p.335, fig.15; Parovich-Peshikan, dib. 94, 5-9, Katalog 1999, kat.101

58.- UNGÜENTARIO
Bibliografía: Katalog 1999, c.52, kat..103, ill. na c. 53
Paralelos: Hesperia III, fig.52; Parovich-Peshikan, c. 110, dib.95, 1-4

59.- FRAGMENTO DE UN PLATO CON GRAFFITI
Bibliografía: *Vlasova,* c. 137, prim.20, Katalog 1999, c.90. kat.217

60.- LAGINO
Bibliografía: Katalog 1999, c.56. kat. 119, ill. na c.57
Paralelos: Hesperia III, p. 103-105, fig. 92 (E 92): Parovich-Peshikan, dib.88, 4, 5.; Maksímova 1979, p.108, dib.44

61.- COPA CON DECORACIÓN EN RELIEVE
Bibliografía: АГ, tabl.CXLV, 9, Katalog 1999, c.54. kat.111, ill. na c.55
Paralelos: Courby L., Les vases grecs a reliefs, Paris, 1922, fig. 77, 15. Michalowski K. Warsawa, 1958, pl. VIII; Pogrebova N.N. Pozdneskifskiye gorodisha na Nizhnem Dnepre / МИА 64,1958, c.21,3,4 Schelov D.B. Najodki v Tanaise «мegarskij» chash // МИА 154, 1969, c. 227б kat. 29-32, tabl. III, 29, 31

62.- COPA
Bibliografía: Katalog 1999, c.52, kat..107
Paralelos: Hesperia III, p. 397, fig.84 (E 52, E 53), p.372, fig.58 (D 17, D 18)

FIGURILLAS DE TERRACOTA

63. MASCARA TEATRAL
Bibliografía: Tesori d´Eurasia, cat. 178. Katalog 1999, c.75, kat. 174, ill. na c. 73
Paralelos: Winter, Jungere Typ. XII (Schauspierler der Alteren und neuren Komödie), S.430,3; vease también Myrina, MYR 321 (94), p.142, Pl.173 d; Furtwängler, S.99 ff, Taf CXLII, 1; Robert, S .23, Fig. 51, 52

64. CABEZA DE MUJER
Bibliografía: Khudiak 1945, tabl.XIX, I
65. CABEZA DE MUJER
Bibliografía: Khudiak 1945, tabl.XIX, 2
66.- PROTOME DE DEMÉTER
Bibliografía: Skudnova 1970; c 87, tabl. 30,5
Paralelos: Breitenstein 1941, pl.12, 117; Blinckenberg 1931, pl/114, 2447
67. PROTOME DE DEMÉTER
Bibliografía: Khudiak 1945, tabl.XV,1; Skudnova 1970; c 87, tabl. 29,4
Paralelos: Winter 1903, vol.I, pl.236,6; Olynthus IV, pl.4,17; Olynthus XIV, pl.4,3; Higins 1954, pl.26.141

68.- MOLDE y pieza fundida
Bibliografía: Khudiak 1962, c.40, tabl.33, 1; Skudnova 1970 б, c.89, кат.41, tabl. 34, 4,4 a; Katalog 1999, c. 70, kat.164, ill.na c.71
Paralelos: Higgins, cat. 89-91, p. 57, pl. 18; Skudnova 1970 a, c.32, kat.9, tabl. 9, 3; Tesori d´ Eurasia, cat.159, 160

69, 70.- DOS FIGURILLAS: MONO CON LUTERIO
Bibliografía: Silantieva 1959, c. 36-39, ris.15, c. 100-101, № 50; Katalog 1999, c. 72, kat.167, 168, ill.na c.71.

Paralelos: AK, cat. 66, p. 26, 63 ill.; Silantieva 1974, kat.17,
c. 16-17, tabl. 3, 5; Higgins 1954, pl.135, N 958

71. - ESTATUILLA: FIGURA DE MUJER
Bibliografía: Khudiak 1945, tb.XVII, I; Skudnova 1970 б, c.89, кат.37, tabl. 33, 3
Paralelos: Winter 1903, vol.II, pl.37,4; OAK 1880, tabl.VI, 9

72. PROTOME DE DEMÉTER
Bibliografía: Khudiak 1945, tabl. XV, 1; Skudnova 1970; c 88, tb. 31,2; AGCP 1984, tb.CXXII, 6.
Paralelos: Winter 1903, vol.I, pl.249,5; Olynthus IV, pl.17,132; 18, 150; Olynthus VII, pl.9,37; 10,41;
Blinckenberg 1931, pl/148, 3141

73.- ESTATUILLA: EFEDRISMOS
Bibliografía: Skudnova 1970 б, c.89, kat.37, tabl. 33, 2; Katalog 1999, c.72,75, kat. 173, ill. na c.73.

74.- MÁSCARA
Bibliografía: Novie postupleniya 1977, кат.863; Katalog 1999, c.75, kat. 178; Grach 1999, c.121, tabl. 155, 13.

75.- MÁSCARA DE MEDUSA
Bibliografia: Silantieva 1959, c.92, 103, кат. 93, ris.51, 2; Katalog 1999, c.75, kat. 176, ill.na c.74 (prav)

76.- MEDALLÓN: MÁSCARA DE MEDUSA
Bibliografía: Tesori d´Eurasia,cat.181, Katalog 1999, c.75, kat. 175, ill. na c. 74; Grach 1999, c.57, ris.19

VIDRIO

77.- RETRATO DE LA EMPERATRIZ LIVIA
Bibliografía: Tesori d´Eurasia, p.145, cat. 180; Mouseio Ermitaz, p.94, cat. 23; Antichnoye steklo, kat.78;
Kunina N. Bosporan Kingdom// The State Hermitage. Masterpieces from Museums Collections. London, 1994, p. 292-
311, cat. N 286-291, 318, Katalog 1999, c.79-80, kat.186, ill.na c. 81

78.- ALABASTRÓN
Bibliografia: Silantieva 1959, c. 24, ris..8 (sleva); c. 101, № 61 Katalog 1999, c.80, kat.187, ill.na c. 81.
Paralelos: ГЭ.П 1875.393; П.1912.57 (necrópolis de Panticopea); Grose, p.135, №. 69, 70

79.- ALABASTRÓN
Bibliografia: Silantieva 1959, c. 24, ris.8 (sprava); c. 101, № 60; Katalog 1999, c.80, kat. 188, ill. na c. 81
Paralelos: Grose, p.141, nos.89, 90; Fossing, p.67, fig. 40

80.- BOTELLA
Bibliografía: Judozhestvennoye remeslo, kat.275 (bez ill.); Antichnoye steklo, kat. 126, c.277, ill. 79; Katalog
1999, c.82, kat.193, ill. na c. 81
Paralelos: La Baum, Kat. S.23, Taf.13,3

81.- JARRA
Bibliografía: Judozhestvennoye remeslo, kat.256; Antichnoye steklo, kat. 250; Katalog 1999, c.84, kat.204,ill. na
c.85
Paralelos: Calvi, cat.157, Tav. 7,3; Vessberg, pl.VI. 11; Morin-Jean,p.101, fig. 119; Matheson, N 92, 93; Berger,
N 89, Taf.6,89 (=Tar.20,76 (89) compárese con: Simonett, S.80, Abb.262,32; S.108, Abb.88,9; S.116, Abb.95,9 –de vidrio
azul: S.162, Abb.138,42; Kunina, Sorokina, c.151, ris.3,25; La Baum, Salomonson, Kat.125 (dibujo en superportada);
Vessberg, pl.VI,14

82.- JARRA
Bibliografía: Noviye posdtupleniya 1977, c.123, № 865; Kunina 1982, c.119-124, c.121, ris.2; Antichnoye
steklo, c. 287, kat.168; Katalog 1999, c.82, kat. 194; Grach 1999, c.157, tabl.172, 22

<u>Antologías:</u> compárese ГЭ, E.629; Vanderhoeven, N 69, 70; Charlesworth, p.29, fig.7; p.35, fig.18: Museo Germano-Romano, Colonia, № 169 (marca parecida)

83.- COPA
<u>Bibliografía:</u> Noviye postupleniya 1977, c.123, № 864 (bez ill.); Antichnoye steklo, c.315, kat.303; Katalog 1999, c.83, kat.197, ill. na c.85; Grach 1999, c.93, ris.36, tabl.129,8
<u>Paralelos:</u> Vessberg, pl. IV,14; Handbook, fig.on p.511, N 5686; Fremersdorf IX, N 62; ГЭ, E.414

84.- CUENCO
<u>Bibliografía:</u> Katalog 1999, c.83, kat.198
<u>Paralelos:</u> no hay paralelos cercanos; en cuanto a las remotas, véase: Vessberg, pl.III,4; Vetri Romani, p. 113, N 138

85. PALILLO PARA COSMETICOS
<u>Bibliografía:</u> Noviye postupleniya 1977, c. kat. 869; Grach 1999, c.155, ris.72.

86.- ENÓCOE
<u>Bibliografía:</u> Novie postupleniya 1977, c. N°; Katalog 1999, c.80, kat. 189; Grach 1999, c.92, ris.35,4, tabl. 128,5
<u>Paralelos:</u> Grose, p.149, cat. 113; Saldern 1974 b, cat. 155, Tar. S. 56, N 155

87.- PENDIENTE EN FORMA DE CABEZA BARBUDA
<u>Bibliografía:</u> Skudnova 1964, c.62; Haevernick 1977, № 496 (sin ilustración, Panticapea como lugar del hallazgo está indicada por error); Alexeeva 1982, c. 34, 41 (snoska 56), 87, tip 463, tabl. 47, 20, Katalog 1999, c-120, kat. 325
<u>Paralelos:</u> ГЭ, X.1953.233; Belov 1962, c.175, ris.38б; Haevernick 1977, Taf.42, 516, 546; Seefried 1979, p.20. Fig.8 (Type C2); Alexeeva 1982, c.41, tabl. 47,29

88.- JARRA
<u>Bibliografía:</u> Antichnoye steklo, kat. 395; Katalog 1999, c.88, kat.214, ill. na c.87
<u>Paralelos:</u> ГЭ, E.596, E.2196

ORFEBRERIA

89.- PENDIENTE: ARTEMISA SOBRE UNA GACELA
<u>Bibliografía:</u> CR 1868, 6-8. Tabl.15.6: Silántieva 1959, c.7.45, ris.2.2
Hoffmann, Davidson 1965, p.80, fig.121. Williams, Ogden. cat. 110; Grecheskoye zoloto, kat.110.
Respecto al argumento, véase: LIMC, Artemis, N 685, 686, 691, 901. *Zwei Gestehter* Kat.48

90.- PLACAS: ESFINGE
<u>Bibliografía:</u> Silántieva 1959, c. 56 sl., ris.24, *4*; Artamónov, c.34-35, ris.35; Katalog 1999, c.91, kat.218
<u>Paralelos:</u> ГЭ, ГК/Н.22 (Nimphea, necrópolis, túmulo 17) – Silántieva 1959, ris 38, 16; ГЭ, СБр. VI.2 (Semibratniye kurgani) – Artamónov, ris.67; ГЭ, СБр.II.19 -Artamónov, tabl.108

91. - PLACAS: CABEZA DE CARNERO
<u>Bibliografía:</u> Silántieva 1959, c. 56 sl., ris.24, 8; Artamónov, ris.35; Katalog 1999, c.91, kat.219
<u>Paralelos:</u> ГЭ, СБр. II.I (Semibratniye kurgani) –Piotrovsky, Galanina, Grach, pl.80

92. - PLACA: MÁSCARA DE MEDUSA GORGONA
<u>Bibliografía:</u> Silantieva 1959, c.56 sl., ris.24,5; Artamónov, ris.35; Katalog 1999, c.91, kat.220
<u>Paralelos:</u> ГЭ, ГК/Н.27, ГК/Н.28 (Nimphea, necrópolis, túmulo 17) – Artamónov, tabl.103, 104; ГЭ, СБр.II.15, СБр.II.16 (Semibratniye kurgani) – Artamónov, рис.45; ГЭ, СБр.I.35; СБр.VI.1; СБр.VI.3; СБр.VII.11

93.- COLLAR
<u>Bibliografía:</u> Silántieva 1959, c.56, sl., ris.24,1; Katalog 1999, c.92, kat.225
<u>Paralelos:</u> ГЭ, ГК/Н.185 (Nimphea, necrópolis, túmulo 16) – Silántieva 1959, c.78; ГЭ, СБр.II.28: МСБр.31 (Semibratniye kurgani)

94.- PLACA:AGUILA VOLANDO
Bibliografía: Silántieva 1959, c.56 sl., 104, ris.24,9; (Silántieva se remite a OAK del año 1887 para hablar de cuatro placas procedentes del túmulo 24); Artamónov, c. 34, ris.35; Katalog 1999, c.91, kat.222
Paralelos: ГЭ, ГК/Н.31 (Nimphea, necrópolis, túmulo 17) – Silántieva 1959, c.105, ris.38,18; Artamónov, ris.38

95.- CASQUETE
Bibliografía: Silántieva 1959, c.56, ris.24,3; Katalog 1999, c.92, kat.224
Paralelos: ГЭ, СБр. VI.9,10 (dos casquetes de oro de tamaño menor – VI Semibratni kurgan)
96.- TRES PLACAS: ROSETAS
Bibliografía: Silántieva 1959, c.56 sl., 104, ris.24,7 (Silántieva se remite a OAK del año 1887, para hablar de dos placas procedentes del túmulo 24); Artamónov, ris.35; Katalog 1999, c.91-92, kat.223
Paralelos: ГЭ, СБр.II.12, (II Semibratniy kurgan) –Artamónov, ris.51

97.- PLACA: CABEZA DE MONO
Bibliografía: Silántieva 1959, c.56 sl., ris.24,6; Katalog 1999, c.91, kat.221
Paralelos: ГЭ, ГК/Н.29 (Nimphea, necrópolis, túmulo 17) –
Silántieva 1959, c.74, ris.38,4

MONUMENTOS GLÍPTICOS

98. CILINDRO CON UN SEGMENTO CORTADO
Bibliografía: OAK 1868, n, 1,4; Maximova, 1926, c.40; Rostovtsev 1925, c. 389; Silántieva, c.7, ris. 2, Boardman, 1970, p.50, pl.27; Kruglov Nimfeiskaya serdolikovaya pechat i arjaisticheskie kompositsii // Antichnoe Prichernomorie. Sbornik statei po klassicheskoi arjeologuii. Red. Soloviev, CPb, 2000, c.217-226

99.- SORTIJA: Jinete
Bibliografía: Neverov 1995, p.72, cat.12, pl.XI, 7, Katalog 1999, c.114, kat. 298
Paralelos: ГЭ, П.1907.8-OAK 1907, c.79

100.- SORTIJA: Macho cabrío frente al herma
Bibliografía: OAK 1878-1879, c. XXXVII; Silántieva 1959, c. 103
Paralelos: Moskva, ГИМ- Zajarov, № 263

101.- SORTIJA: retrato de Arsinoe III (?)
Bibliografía: Neverov 1974, c.111, ris 19; Neverov 1995, p.73, cat.22, pl.XIII, 2; Katalog 1999, c.114, kat. 300, ill.na c. 113
Paralelos: ГЭ, ПАН.1849; П.1873.90 –Neverov 1974, c.111, ris.17-20

102.- SORTIJA CON GEMA: Isis
Bibliografía: Noviye postupleniya, c. 125, № 889; Neverov 1995, p.72, cat.12, pl.XI, 7, Katalog 1999, c.114, kat. 307; Grach 1999, c. 151, kat.11
Paralelos: ГЭ, П.1891.755

103.- SORTIJA. Inscripción: XAPA
Bibliografía: Antichnoye judozhestvennoye serebro, katalog vystavki, L.19, kat.78; Neverov 1995, p.74, cat.45, pl.XIV, 7, Katalog 1999, c.115, kat.309; Grach 1999, c.131, kat.23, ris.57
Paralelos: ГМИИ, 83-1575 Бз.-Rozánova *1968*, c.126, ris.1

104.- SORTIJA CON CORNALINA. Inscripción: KAΛH
Bibliografía: Neverov 1995, p.74, cat.44, pl.XIV.6; Katalog 1999, c.115, kat.310, ill.na c.113; Grach 1999, c.151, kat.10

BRONCE ARTÍSTICO

105.- PLACA: CABEZA DE GRIFO DE PERFIL A LA IZQUIERDA
Bibliografía: OAK за 1877, c.232; Artamonov, tabl.92; Silántieva 1959, c.69, ris.37, 8; Tolstoy, Kondakova, c. 49, ris.63; Piotrovsky, Galanina, Grach, pl. 91, Katalog 1999, c 96-97, kat. 237, ill. na c. 95
Paralelos: Petrenko, tabl 31, 21; Zavitujina, c. 172, 228

106.- CIATO
Bibliografía: Antichnaya judozhestvennaya bronza. Katalog vistavki, c.21, № 43; Silántieva, 1959, c. 64-65, ris. 34, Katalog 1999, c.94, kat.230
Paralelos: Zannoni, tav. XIX, 8-11, 14-15; XXIX, 14; L,3 LIV, 15-17; LXIV.5; CXXXX, 10,20,21

107.- CIATO
Bibliografía: Silántieva, 1959, c. 72, ris 39, 3, Katalog 1999, c 97, kat. 241
Paralelos: Vickers 1979, pl. XVIIa, p. 45-46

108. (cat. 231) CUATRO PLACAS : AVES
Bibliografía: Silántieva, 1959, c. 69, ris 37, 11, Katalog 1999, c. 94, kat.231.
Paralelos: Artamónov, c. 36, ris.65, 66, tabl.129

109. - PLACA: OREJA DE CIERVO
Bibliografía: Artamónov, c. 35, Silántieva, *1959*, c. 69-70, ris. 37, 7; Katalog 1999, c.96, kat.232, ill.na c. 95
Paralelos: Mozolevskiy, c.91-93, ris.35-37; Petrenko, tabl.30, № 19

110.- DOS COMPONENTES DE LA BRIDA
Bibliografía: Silántieva, 1959, c. 68, ris 37, 1,4; Katalog 1999, c 96, kat.235
Paralelos: Silántieva, 1959, c. 73, ris 40,1; c. 84, ris. 43,3; c. 85, ris.48,7

111. - PLACA: CABEZA DE JABALÍ DE PERFIL A LA IZQUIERDA
Bibliografía: Artamonov, tabl. 93; Ilinskaya, Terenozhkin, c. 208, ris.7; Silántieva 1959, c.71, ris.37.9; Katalog 1999, c.96, kat.236, ill. na c. 95.
Paralelos: Artamonov, tabl 127, 97; Borovka, pl.17 C,D; Murzin, c.33, ris.18.3; Skudnova 1954, c. 316, ris 6; Piotrovsky, Galanina, Grach, pl. 275

112.- HEBILLA
Bibliografía: Bilimovich Z.A. Bronzovaya prizhka iz Nimfeya// СГЭ, 1962, vip. XXIII, c.43-45; Katalog 1999, c. 99, kat.248
Paralelos: OAK 1876, c. XXXVIII, c. 165; OAK 1893, c.60, ris. 38, 321; Bilimovich Z.A. Bronzovaya prizhka iz Nimfeya // СГЭ, 1962, vip. XXIII, c.44, ris.4, 5

113. - CABEZA DE ALCE DE PERFIL A LA IZQUIERDA
Bibliografía: Silántieva,1959, c.84, ris. 47, 5; Katalog 1999, c 97, kat. 245
Paralelos: Silántieva 1959, c. 85, ris. 48, 3; Borovka, pl.V B; Ilinskaya 1968, c. 41, tabl. XXXV, II; Ilinskaya Gorishniy, c. 207-210; Olkhovskiy, c.68, ris.7; c. 90, ris. 10; Petrenko, tabl, 1,5,9,12,19; Chernenko 1970, c.180, ris.2,4; Shaposhnikova, c.212, ris.5

114.- PLACA: PATA Y MORRO DE ALCE
Bibliografía: Silántieva, 1959, c.94, ris.47, 7; Katalog 1999, c 97, kat.246
Paralelos: Archeologie comparee. Europe oriental-Asie-Oceanie-Amerique. Paris. 1989, p. 39, N 66474; Bessonova,Skoriy, c.164, ris. 6, 5, 6; Petrenko, tabl.30, 6; Pleshivenko, c. 147, ris. 3, 3; Skudnova 1954, c.316, ris. 6

115. BUSTO DE ISIS.
Bibliografía: Sokolova O, Byust Izidi iz Nimpheya // Bosporskoe tsarstvo kak istoriko-culturniy fenomen. Materiali nauchnoi konferentsii, dekabr 1998, Sankt-Peterburg, 1998, c.39-40

116.- FRONTALERA
Bibliografía: Silántieva, 1959, c. 85, ris. 48, 5; Katalog 1999, c 99, kat. 244
Paralelos: Artamonov c.33, ris. 57; Ilinskaya, Terenozhkin, c.325, ris.1; Murzin, Chernenko, c. 166, ris.11-12; Petrenko, tabl.28,9,10; Silántieva 1959, c. 69, ris.37, 6; c.73, ris. 40, 2

117.- PLACA: OREJA DE CIERVO
Bibliografía: Silántieva, 1959, c. 86, ris. 49, 2; Katalog 1999, c 97, kat. 247
Paralelos: Kosikov 1992, ris. na c. 54, 4,8,9; Kosikov 1994, c. 133, ris.14, 8,9

ARMERIA

118. - YELMO
Bibliografía: Rabinovich, c.139, ris.13; Silántieva *1959*, c.82, ris. 46; Chernenko 1968, c. 83; Katalog 1999, c. 101, kat.249, ill.na s.100

119. - ESPADA
Bibliografía: Novye postuplenia 1966-77, c. N°; Grach 1981, c. 262; Katalog 1999, c. 101, kat.250, ill.na s. 100; Grach 1999, c.100, ris. 44, tabl. 143,5
Paralelos: Evdokimov, Murzin, c.79, fig.4,11; Melyukova, tabl.16, 1, 8; Tejov, p. 220, fig.2,2; p. 222, fig. 4,1; p.223, fig. 15,2.

120. - ESPADA ESCITA
Bibliografía: Novye postuplenia 1966-77, c. N°; Grach 1981, c. 262; Katalog 1999, c. 101, kat.251, ill.na s. 100; Grach 1999, c.48, ris.12, tabl. 32,4
Paralelos: Evdokimov, Murzin, c.79, ris.4, 10, 12, 13; Meliukova, tabl. 16, *4;* Tekhov, c.221, ris.3, *7;* c.225, ris.6, *1;* c.226, ris.7, *3;* c.227, ris.7, *3;* c.236, ris 17, *1*

121.- ESPADA
Bibliografía:Grach 1989, c. 67; Katalog 1999, c. 101, kat.252, ill.na s. 100; Grach 1999, c.97, ris. 40, tabl. 138,11
Paralelos: Simonenko, c.136, ris.6; Stepi... .tabl.81, 21-23; tabl. 93, *46;* tabl. 110, 1

122. JUEGO DE PUNTAS DE FLECHA
Bibliografía: Silantieva L.F. Nekropol Nimfea// MIA 69, 1959; Polin S.V. Jronologuiya rannieskifskij pamiatok//Arjeologuia 59, Kiiv, 1987, c.31, ris.11, 1-10
Paralelos: Meliukova A.I. Vooruzhenie skifov//САИ Д 1-4, M., 1964, c.23-25; Meliukova A.I Skifskaya materialnaya kultura: oruzhiye, konskoye snariazheniye, povozki, navershiya// Stepi evropeiskoy chasti SSSR v skifsko-sarmatskoye vremia. Arjeologuia SSSR.M., 1989, c.92-93

MONEDAS

123.- MONEDA
Bibliografía: Katalog 1999, c.107, kat.272, ill na c.106

124.-MONEDA
Bibliografía : Golenko, c.76, №36; Katalog 1999, c.102, kat.256, ill na c.103

125.- MONEDA
Bibliografía : Golenko, c.86, №302; Katalog 1999, c.102, kat.257, ill na c.103

126.- MONEDA
Bibliografía: Golenko, c.90, №413; Katalog 1999, c.102, kat.259, ill na c.103

127.- MONEDA
     <u>Bibliografía:</u> Skudnova V.M. Najodki koljidskij monet y pifosov v Nimfee// ВДИ, 1952, №2, c.283 sl,; Golenko, c.80, № 160; Katalog 1999, c.110, kat.281, ill na c.108
     <u>Paralelos:</u> Golenko, Kapanadze, №289-530

128.- MONEDA
     <u>Bibliografía:</u> Golenko, c.78, № 109; Katalog 1999, c.104, kat.262, ill na c.103

129.- MONEDA
     <u>Bibliografía:</u> Katalog 1999, c.104, kat.263, ill na c.105

130.- MONEDA
     <u>Bibliografía:</u> Katalog 1999, c.104, kat.265, ill na c.105

131.- MONEDA
     <u>Bibliografía:</u> Katalog 1999, c.104, kat.268, ill na c.105

132.- MONEDA
     <u>Bibliografía:</u> Katalog 1999, c.104, kat.269, ill na c.105

133.- MONEDA
     <u>Bibliografía:</u> Katalog 1999, c.104, kat.270, ill na c.106

134.- MONEDA
     <u>Bibliografía:</u> Katalog 1999, c.104-105, kat.271, ill na c.106

135.- MONEDA
     <u>Bibliografía:</u> Golenko, c.88, № 358; Katalog 1999, c.107, kat.273, ill na c.106

136.- MONEDA
     <u>Bibliografía:</u> Katalog 1999, c.107, kat.275, ill na c.106

137.- MONEDA
     <u>Bibliografía:</u> Golenko, c.86, № 317; Katalog 1999, c.107, kat.302, ill na c.108

138.- MONEDA
     <u>Bibliografía:</u> Katalog 1999, c.107, kat.280, ill na c.108
     <u>Paralelos:</u> Frolova II, pl. XXXI, 23

139.- MONEDA
     <u>Bibliografí a</u> Golenko, c.83, № 223; Katalog 1999, c.110, kat. 283, ill na c.109

140.- MONEDA
     <u>Bibliografía:</u> Katalog 1999, c.110, kat. 284, ill na c.109; Grach 1999, c.76, kat. 10
     <u>Paralelos:</u> Rec., pl. VII, 25, 27

141.- MONEDA
     <u>Bibliografía:</u> Katalog 1999, c.110, kat.285
     <u>Paralelos:</u> *Frolova I,* pl.XI, 6

142.- MONEDA
     <u>Bibliografía:</u> Katalog 1999, c.110, kat.286

143.- MONEDA
     <u>Bibliografía:</u> Katalog 1999, c.110, kat.287, ill. na c. 109

144.- MONEDA
Bibliografía: Katalog 1999, c.110, kat.288, ill. na c. 109
Paralelos: Anverso- *Frolova I,* pl.XLVII, 33; Reverso - *Frolova I,* pl.XLVII, 36

145.- MONEDA
Bibliografía: Katalog 1999, c.110, kat.289, ill. na c. 109

146.- MONEDA
Bibliografía: Katalog 1999, c.111, kat.290, ill. na c.109

147.- VASIJA
Bibliografía: *Khudiak 1948,* c.38 , Katalog 1999, c.111, kat.291

148.- MONEDA
Bibliografía: Frolova N.A. Moneti Nimfea (Nekotorie problemi issledovaniya chekanki Nimfea)// Drevnosti Bospora, t. 3, Moskva, 2000, c.346, tabl. 1,4; Anojin 1986, c.138, tabl.2,62

TALLAS EN PIEDRA

149.- CABEZA DE HERACLES
Bibliografía: Olympism in Antiquity. Lausanne, 1993, p.72, cat.15; Zaitseva *1965,* c.38; Katalog 1999, c.76, kat.179
Paralelos: LIMC, IV, 1, N 1139, p.781

150.- FRAGMENTO DE ESTATUILLA:
> TORSO DE MUJER SEDENTE
Bibliografía: Katalog 1999, c.77, kat. 183
Datos de archivo: Grach N.L. Informe de campo de la expedición arqueológica de Nimphea del Ermitage correspondiente al año 1980, p. 23 (versión en ruso) (archivo del Departamento del mundo antiguo del Ermitage)
Paralelos: Comstock Mary B., Vermeule C. Sculpture in Atone. The Greek, Roman and Etruscan Collections of the Museum of Fine Arts, Boston. Boston, 1976, cat. 151, p.97; Fuchs W. Die Skulptur der Griechen. Munchen, 1969, S.262. Abb.289; Richter G. The Sculpture and Sculptors of the Greeks. New Haven-London, 1957, fig. 696

151.- FRAGMENTO DE UN RELIEVE VOTIVO
> con la imagen de Cibeles
Bibliografía: Pamiatniki kulturi y iskusstva, priobretennye Ermitagem v 1986 g. Katalog vistavok. Л., 1987, kat.16, c. 13 (data IV-III vv. do n.e.); Katalog 1999, c.77-78, kat. 185

152. - ACRÓTERA
Bibliografía: Davídova 1978, c.144; Tesori d´Eurasia, p.142, cat.176; Davídova 1990, c.25, № 5; Katalog 1999, c.125, kat.355
Paralelos: K-W, p.118-120, Taf.VII; Davídova 1990, c.26, № 6

153.- FRAGMENTO DE PEDESTAL CON INSCRIPCIÓN
Bibliografía: Vlasova, c. 136, prim.16; Katalog 1999, c.90, kat.216; Vinogradov Yu.G. Votiv Komosarii iz Nimfea//Bosporskiy gorod Nimfey: noviye issledovaniya y materiali y voprosi izucheniya amtichnij gorodov Severnogo Prichernomoria. TD, SPb, 1999, c.20
Paralelos: КБН, 1015

154. - ESTELA DE MASTA
Bibliografía: Davídova 1990, c.43-44, № 31; Katalog 1999, c.125, kat.356
Paralelos: K-W, №169, Taf.XII

155. - ESTELA FUNERARIA
Bibliografía: Moleva N.V. Antropomorfniye pamiatniki iz necropolya Nimfeya// Grach N.L. Necropol Nimfeya. SPb., 1999, prilozheniye, c. 325, ill.,kat.24; Katalog 1999, c.126, kat.358

VARIAS

156. - ADORNO DE SARCOFAGO
Bibliografía: Tesori dÉurasia, cat.182, 183; Jijina 1997, c.158, ris,18, 19, 21, 22; Jijina, p.204; Katalog 1999, c.124, kat.351; Grach 1999, c.166, ris.79

157. -ADORNO DE SARCOFAGO
Bibliografía: Tesori dÉurasia, cat.182, 183; Jijina 1997, c.158, ris,18, 19, 21, 22; Jijina, p.204; Katalog 1999, c.124, kat.35; Grach 1999, c.51, kat.1, ris.13.2
Paralelos: Pinelli, Wasowicz, cat.35

158. -ADORNO DE SARCOFAGO
Bibliografía: Grach 1999, c.51, kat.3, ris.13.1

159. ADORNO DE SARCOFAGO
Bibliografía: Grach 1999, c.51, kat.6.

160.- MOLDE DE FUNDICIÓN
Bibliografía: Silántieva. P.F. Spiralevidnie podveski Bospora, TGE
1976, t. XVII, c 133-134, ris. 8; Treister, c.79-80, ill.5,4; Grecheskoe zoloto, c 260, ris.2; Katalog 1999, c 122, kat.334

161.- ADORNO DE SARCOFAGO
Bibliografía: Tesori dÉurasia, cat. 184; Jijina 1997, c.158, ris,22; Jijina, p.204; Katalog 1999, c.123-124, kat.350; Grach N.L.1999, c.165, ris.78
Paralelos: ГЭ, П.1843.34; П.1843.35; П.1843.36; ННФ.76.64; Pinelli, Wasowicz, cat. 29,30,31

162.- ADORNO DE SARCÓFAGO
Bibliografía: Jijina 1997, c.158, ris,12; Jijina, p.204, fig.12; Katalog 1999, c.123, kat.349; Grach N.L.1999, c.166, ris.80

163.- ADORNOS DE SARCOFAGO
Bibliografía: Noviye postupleniya 1977, c., kat.876; Jijina 1997, c.160, ris,15; Jijina, p.205, fig.15; Katalog 1999, c.124, cat.352; Grach 1999, c.167, kat.14

164. ADORNOS DE SARCOFAGO
Bibliografía: Noviye postupleniya 1977, c., kat.875; Jijina 1997, c.158, ris,13; Jijina, p.204, fig.13; Katalog 1999, c.124, cat.353; Grach 1999, c.166, kat.11.

165.- PESA DE CONTRASTE CON LOS NOMBRES DE
Bibliografía: Grach 1976, c.186, № 1, ris.1; Novye postuplenia, c.22,   № 886; Katalog 1999, c.116, kat. 313, ill. na c.117

166.- PESA

167.- MOLDE DE FUNDICION
Bibliografía: Grecheskoe zoloto, c 260, ris.3; Katalog 1999, c 122, kat.333

168. Medalla de Olimpia (en una caja pequeña)

LISTA DE ABREVIATURAS

Alexeev 1986 –Alexeev A.Yu. Placas de adorno del túmulo de
Chertomlik // Toréutica antigua. L., 1986, p. 64-74.

Alexeev 1987 - Alexeev A.Yu. Significado de algunos adornos de arneses
en la Escitia europea // Ciclo de conferencias sobre la
historia en memoria de M.P. Griaznova. TD, Omsk, 1987.

Alexeev 1991- Alexeev A.Yu. Cronología y cronografía de la Escitia
cercana al Mar Negro en el siglo V a.C. // АСГЭ, 1991, № 31, p. 43-56.

Alexeeva 1982 –Alexeeva E.M. Collares antiguos del litoral norte del
Mar Negro, t. 3 // САИ, ed. G 1-12, M., 1982.

Zograf 1951 – Zograf A.N. Monedas antiguas // МИА, 1951, № 16.

Apolonia   - Ivanov T. Cerámica antigua de la necrópolis en Apolonia //
Apolonia. Sofia, 1964, p. 65-273.

Artamonov 1966 – Artamonov M.I. Tesoros de los túmulos escitas. L.-
Praga, 1966.

Bezsonova 1977 –Bezsonova S.S. La imagen del perro-pájaro en las
ciudades del litoral norte del Mar Negro en la época escita // Arqueología, №
23, 1977, p. 11-24.

Belov 1962 – Belov G.D. Casa helenística en Khersones // ТГЭ, 1962,
t.VII, p. 143 –183.

Bessónova,
Skoriy   - Bessonova S.S., Skoriy S. A. Enterramiento de un guerrero
escita del sepulcro de Aktash en Crimea oriental // CA, 1986, № 4, p. 158-169.

Bidzilia, Boltrik,
Mozolevskiy,
Savovskiy - Bidzilia V.I., Boltrik Yu.V., Mozolevskiy B.N., Savovskiy
I.P. Sepulcro de túmulo en el bosque de Nosaki // Sepulcros
de túmulo de Riasniye Moguili y Nosaki. Kíev, 1977, p. 61-158.

Bilimovich 1982 –Bilimovich Z.A. Enócoe de bronce procedente de
Nimphea // СГЭ, 1972, ed. XLVII, p.41-43.

Bilimovich 1984 – Bilimovich Z.A. Hidrias de bronce griegas de la
colección del Ermitage // ТГЭ, 1984, t. XXIV, 1984, p. 72-82.

Bobrinskiy 1901 –Bobrinskiy A.A. Túmulos cerca de Smela, III,
SPb,1901.

Brawn   - Brawn F.A. Informe sobre las excavaciones en la provincia
de Táuride en el año 1898 // OAK del año 1906, p.81 –116.

Valdhauer 1914 –Valdhauer O.F. Lucernas de arcilla de la antigüedad.
SPb., 1914.

Vinogradov,
Molev, Tolstikov – Vinogradov Yu,G., Molev E.A., Tolstikov V.P.
Nuevas fuentes epigráficas de la historia de la época
de Mitrídates // Litoral del Mar Negro en la época
helenística. Documentos del III Simposio Nacional
sobre la historia antigua del litoral del Mar Negro.
Tsjaltubo, 1982. Tbilisi, 1985, p. 589-600.

Vlásova 1994/1995 – Vlásova E.V. Fragmento de una dedicatoria de
Nimphea // Hyperboreus, I, fasc.2, SPb., 1994.

Vóronov 1980 – Vóronov Yu.N. Dioscuriada –Sevastópolis- Tsjum. M.,
1980.

Galánina 1977 – Galánina L.K. Antigüedades escitas de la cuenca del
Dniéper // САИ, ed. Д 1-33.M., 1977.

Gaidukévich 1959 – Gaidukévich V.F. Necrópolis de algunas ciudades
          del Bósforo // МИА, 1959, N 69, p. 154-238.
Gaidukévich 1987 – Gaidukévich V.F. Ciudades antiguas del Bósforo. L.,
          1987.
Ganina 1970 – Piezas de bronce antiguas procedentes de Pischaniy. Kíev,
          1970.
Golenko 1974 – Golenko K.V. Monedas de las excavaciones de
          Nimphea, años 1939 –1970 // НЭ, 1974, t. XI, p. 61-93.
Gorbunova 1983 – Gorbunova K.S. Vasos áticos de figuras negras en el
          Ermitage. L., 1983.
Gorbunova,
Peredolskaya – Gorbunova K.S., Peredolskaya A.A. Maestros de los
          vasos decorados griegos. L., 1961.
Grach 1968 – Grach N.L. Acerca de Gorguipp y algunas particularidades
          dinásticas de gobierno de los primeros Espartoquidos //
          Historia y cultura antiguas del Mediterráneo y del litoral
          del Mar Negro. L., 1968, p.108 –114.
Grach 1976 – Grach N.L. Pesas de plomo de Nimphea y algunos aspectos
          de la metrología de peso bosforiana // ТГЭ, 1976, t.XVII, p. 183-200.
Grach 1979a – Grach N.L. Complejos vinícolas más antiguos del Bósforo
          // De la historia del litoral norte del Mar Negro en la antigüedad. L., 1979, p. 93-
          103.
Grach 1979b – Grach N.L. Acerca de las características de la necrópolis
          de catacumbas de Nimphea en los primeros siglos d.C. // Problemas de la historia
          y cultura de la antigüedad. Informes de la XIV Conferencia Internacional de
          estudiosos de la antigüedad de los países socialistas. "Eirene", Ereván, 1979, p.
          278-283.
Grach 1981 – Grach N.L. Acerca de las características de la composición
          étnica de la población de Nimphea en los siglos VI-V a.C.   // Situación demográfica
          en el litoral del Mar Negro durante   la gran colonización griega. Documentos del
          III Simposio Nacional sobre la historia antigua del litoral del Mar Negro.Tsjaltubo,
          1979. Tbilisi, 1981, p. 260-267.
Grach 1984 – Grach N.L. Nueva fuente histórica desde Nimphea
          (informe preliminar) // ВДИ, 1984, № 1, p. 81-92.
Grach 1989 – Grach N.L. Expedición arqueológica de Nimphea
          (resultados principales de las investigaciones en los años
          1973-1987) // Resultados de expediciones arqueológicas.
          L., 1989, p. 81-92 .
Oro de Grecia – Williams D., Ogden G., Oro de Grecia. Orfebrería en la
          época clásica. Siglos V-IV a.C. San Petersburgo, 1995.
Davídova 1978 – Davídova L.I. Dos acróteras funerarias bosforianas de
          la colección del Ermitage // ВДИ, 1978, № 2, p. 144-146.
Davídova 1990 – Davídova L.I. Relieves funerarios del Bósforo de los
          siglos V a.C.-III d.C. Catálogo de la exposición. L., 1990.
Debate – Debate // Tierras del Mar Negro en la época del helenismo.
          Documentos del III simposio de la historia antigua del área del
          Mar Negro. Tsjaltubo, 1982. Tbilisi, 1985.
Evdokimov,
Murzin - Evdokimov G.L., Murzin V.Yu. Sepulcro escita con armas
          de la región de Kherson // Armamento de los escitas y
          sármatas. Kíev, 1984, p.75-82.
Zabélina 1992 – Zabélina V.S. Antiguas licernas de arcillas procedentes
          de Panticapea // СГМИИ, 1992, ed. 10, p. 298-328.
Zavitújina 1983 - Zavitújina M.P. El arte antiguo en la cuenca del Enisey.
          L., 1983.

Zajarov 1928 – Zajarov A.A. Gemas y sortijas del Museo de Historia de Estado // Obras del departamento de arqueología de la Asociación Rusa de Instituciones de Investigación Científica y de Ciencias Sociales. 1928, III.

Zeest 1966 – Zeest I.B. Materiales cerámicos de construcción. Bósforo // Fabricación de cerámica y materiales cerámicos de construcción en la Antigüedad. САИ, ed. Г 1-20. M., 1966, p. 51-61.

Zeest 1987 – Zeest I.B. Cerámica de Panticapea de la época sarmatiana // МИА, 1957, № 56, p. 139-159.

Zubar 1982 – Zubar V.M. La necrópolis de Khersones de Tauride de los siglos I-IV d.C. Kíev, 1982.

Ivanova 1961 – Ivanova A.P. La escultura y la pintura del Bósforo. Kíev.

Iliynskaya 1968 –Iliynskaya V.A. La vida de los escitas en la ribera izquierda del Dniéper. Kíev, 1968.

Iliynskaya 1971 –Iliynskaya V.A. La imagen de los felinos en la época temprana del arte escita. // CA, 1971, № 2, p. 61-85.

Iliynskaya Gorishniy - Iliynskaya V.A., Gorishniy P.A. La placa de bronce del túmulo de la aldea Zhovnino // El mundo escita. Kíev, 1975, p.207-211.

Iliynskaya Terenozhkin - Iliynskaya V.A., Terenozhkin A.I. Escitia de los siglos VII-III a.C. Kíev, 1983.

Karishkovskiy 1985 – Karishkovskiy P.O. Acerca del título Mitrídates VI el Grande // Tierras del Mar Negro en la época helénica. Documentos del III simposio de la historia antigua del área del Mar Negro. Tsjaltubo, 1982. Tbilisi, 1985, p. 572-581.

Kibalchich 1910 – Kibalchich T.V. Gemas del sur de Rusia. Berlin, 1910.

Knipovich 1940 – Knipovich T.N. Cerámica de fabricación local procedente de la excavación "И" // Olvia, t.I, Kíev, 1940, p. 129-170.

Knipovich 1952 – Knipovich T.N. Cerámica de barniz rojo de los primeros siglos de nuestra era, fruto de las excavaciones de la expedición del Bósforo en los años 1935-1940 // МИА, 1952, № 25, p. 289-326.

Kobílina 1961 – Kobílina M.M. Terracotas de Panticapea y Tanagoria. M., 1961.

Kobílina 1970 – Kobílina M.M. Terracotas del litoral norte del Mar Negro // САИ, ed.Г 1-11, M., 1972, p. 6-22.

Kopéikina 1986 – Kopéikina L.V. Placas de oro del túmulo Kul-Oba // Toréutica antigua. L., 1986, p.28-63.

Korepánov 1980 –Korepánov K.I. Sobre las diferencias del estilo "animal" en el arte de los pueblos del curso medio del Volga y de la cuenca del Kama en los siglos VII-III a.C. // El mundo escita-siberiano. Novosibirsk, 1980, p. 63-75.

Korovina 1987 – Korovina A.K. Excavaciones de la necrópolis de Tiramba (1966-1970) //СГМИИ, 1987, ed.8, p. 3-70.

Kósikov 1992 –Kósikov V.A. Técnicas de fabricación de los aparejos de
bronce en la época escita // Recopilación arqueológica de
Donetsk, ed. 2, Donetsk, 1992, p.39-83.
Kósikov 1994 –Kósikov V.A. Fabricación de piezas artísticas de bronce
en Escitia en los siglos VII-V a.C., Donetsk, 1994.

Krúglikova 1957 – Krúglikova I.T. Producción cerámica artesanal en
Panticapea de los siglos VI-III a.C. // МИА, 1957, №
56, p. 96-138.
Kúnina 1973 –Kúnina N.Z. Vasos de vidrio sirios hechos a molde
procedentes de la necrópolis de Panticapea // Muestras de
artes aplicadas de la Antigüedad. L., 1973, p. 101-150.
Kúnina 1982 –Kúnina N.Z. Dos jarros de vidrio de la necrópolis de
Nimphea // Artesanía de los maestros de la Antigüedad. L.,
1982, p. 119-124.
Kúnina
Sorókina   - Kúnina N.Z., Sorókina N.P. Inciensarios de vidrio
procedentes del Bósforo // ТГЭ, 1972, t.XIII, p. 146-177.
Liberov 1965 – Liberov P.D. Monumentos de la época escita en el curso
medio del Don. M., 1965.
Maxímova 1926 – Maxímova M. I. Tallas en piedra antiguas del
Ermitage. L., 1926.
Maxímova 1979 – Maxímova M. I. El túmulo Artiukhovskiy. L., 1979.
Márchenko 1984 – Márchenko I.D. Sobre las acróteras de Panticapea //
СГМИИ, 1984, ed. 7, p. 57-60.
Meliukova 1964 – Meliukova A.I. El armamento de los escitas. M., 1964.
Minasyán   - Minasyán R.S. Acerca de la influencia de las técnicas de
fabricación sobre el origen de algunas particularidades del
estilo animal escita-siberiano // АСГЭ, № 29, p. 48-58.
Mozolevskiy 1980 – Mozolevskiy B.N. Túmulos escitas en las cercanías
de la ciudad de Ordzhonikidze y en la región de
Dniepropetrovsk // Escitia y el Caucaso. Kíev, 1980,
p. 70-154.
Murzin 1984 – Murzin V.Yu. Antigüedades escitas del litoral norte del
Mar Negro. Kíev, 1984.
Murzin
Chernenko –   Murzin V.Yu., Chernenko E.V. Sobre los medios de
protección del caballo de batalla en los tiempos escitas //
Escitia y el Caucaso. Kíev, 1980, p. 155-167.
Nevérov 1973 – Nevérov O.Ya. Dexámeno de Khios y su taller //
Muestras de las artes aplicadas en la antigüedad. L.,
1973, p.52-62.
Nevérov 1974 – Nevérov O.Ya. Grupo de sortijas helenísticas de bronce
en la colección del Ermitage // ВДИ, 1974, № 1, p. 106-
115.
Nevérov 1976 – Nevérov O.Ya. Retratos en gemas y sortijas del litoral
norte del Mar Negro // ТГЭ, 1976, t. XVII, p. 166 –182.
Nevérov 1978 – Nevérov O.Ya. Sortijas de la Antigüedad (siglos VI a.C.-
IV d.C.). Catálogo de una exposición provisional. L.,
1978.
Noviye postupleniya 1977 – Nuevas adquisiciones del Ermitage. 1966-
1977. Catálogo de la exposición. L., 1977.
Olkhovskiy – Olkhovskiy V.S. Ritos funerarios y recordatorios de la
población de la Escitia esteparia (siglos VII-III a.C.).

Parovich-Peshikán 1974 – Parovich-Peshikán M. Necrópolis helenística de Olvia. Kíev, 1974.

Peredólskaya 1967 – Peredólskaya A.A. Vasos áticos de figuras rojas en la colección del Ermitage. Catálogo. L., 1967

Petrenko 1967 – Petrenko V.G. Ribera derecha del curso medio del Dniéper en los siglos V-III a.C. M., 1967.

Pleshivenko 1991 – Pleshivenko A.G. Estudios de los túmulos escitas en el Nadporozhiye (curso del río anterior a los rápidos) del Dniéper // Antigüedades de las estepas del Mar Negro y de Crimea. II recopilación de obras. Zaporozhiye, 1991, p. 143-151.

Rabinovich 1941 – Rabinovich B.Z. Yelmos del período escita // ТОИПК 1941, t. I, p. 99-171.

Rozánova 1968 – Rozánova N.P. Sortijas de oro con gemas e inscripciones griegas procedentes de Panticapea y Fanagoria // СГМИИ, 1968, ed. 4, p. 125 y siguientes.

Rostovtsev 1918 – Rostovtsev M.I. Helenismo e iranismo en el sur de Rusia. Petrogrado, 1918.

Rostovtsev 1925 – Rostovtsev M.I. Escitia y Bósforo. L., 1925.

Rudenko 1960 – Rudenko S.I. Cultura de la población de la zona central del Altay en tiempos de los escitas. M. –l., 1960.

Rudenko 1968 – Rudenko S.I. Las alfombras y telas artísticas más antiguas del mundo. M., 1968.

Silántieva 1959 – Silántieva P.F. Necrópolis de Nimphea // МИА, 1959, № 69, p. 3-107.

Simonenko 1984 – Simonenko A.V. Espadas y puñales sarmáticos en el territorio del litoral norte del Mar Negro // Armamento de los escitas y sármatos. Kíev, 1984, p. 129-147.

Skudnova 1950 – Skudnova V.M. Dos tesoros: monedas de Nimphea // ВДИ, 1950, № 4, p. 78- 81.

Skudnova 1952 – Skudnova V.M. Hallazgos de monedas y *píthoi* colquidianos en Nimphea // ВДИ, 1952, № 2, p.238-242.

Skudnova 1954 – Skudnova V.M. Monumentos escitas de Nimphea // CA, 1954, t.XXI, p. 306-319.

Skudnova 1956 – Skudnova V.M. Fragmentos de una crátera de figuras negras del taller de Lidos, encontrados en Nimphea // СГЭ, 1956, ed. IX, p. 45-46.

Skudnova 1959 – Skudnova V.M. Nuevos adornos arquitectónicos descubiertos en Nimphea // СГЭ, 1959, ed. XV, p. 44-46.

Skudnova 1988 – Skudnova V.M. Necrópolis arcáico de Olvia. L., 1988.

Sorókina 1962 – Sorókina N.P. Vidrio de las excavaciones de Panticapea 1945-1959 // МИА, 1962, № 103.

Stepi… - Estepas de la parte europea de la URSS en el período escita-sarmático. M., 1989.

Tekhov 1980 - Tekhov B.V. Escitas y la cultura material del Caucaso central en los siglos VII-Vi a.C. // Escitia y el Caucaso. Kíev, 1980, p.219-257.

Tolstoy
Kondakov – Tolstoy I.I., Kondakov N.P. – Antigüedades rusas en los monumentos artísticos SPb., 1889.

Treister 1992 – Treister M.Yu. Fundición de bronce en el Bósforo // СГМИИ, 1992, ed. 10, p. 66-110.

Farkash   - Farkash E. Arte de los nómadas en los museos de los
                    EE.UU. // ВДИ, 1992, № 4, p. 195-207.
Judozhestvennoye remeslo – Artesanías de la época del Imperio Romano
                    (siglo a.C.-siglo IV d.C.). Catálogo de la
                    exposición. L., 1960.
Khudiak 1948 – Khudiak M.M. Excavaciones en Nimphea // СГЭ, 1948,
                    ed. V, p.78.
Khudiak 1952 a – Khudiak M.M. Excavaciones en el santuario de
                    Nimphea // CA, 1952, t. XVI, p. 232-281.

Khudiak 1952 б – Khudiak M.M. Resultados preliminares de las
                    excavaciones de los años recientes en Nimphea // АИБ,
                    1952, t. I, p. 75-87.
Khudiak 1955 – Khudiak M.M. Excavaciones en Nimphea // СГЭ, 1955,
                    ed. VIII, p. 44-45.
Khudiak 1958 – Khudiak M.M. Dos santuarios en la acrópolis de
                    Nimphea // ТГЭ, 1958, t.II, p.83-93.
Khudiak 1962 – Khudiak M.M. De la historia de Nimphea de los siglos
                    VI-III a.C. L., 1962.
Tsvetaeva 1966 – Tsvetaeva G.A. Fabricación de cerámica. Nimphea //
                    Fabricación de cerámica y materiales de construcción
                    cerámicos en la Antigüedad. САИ, ed. Г 1.20, M., 1966,
                    p. 17.
Chezhina 1983 – Chezhina E.F. Peculiaridades artísticas del estilo animal
                    en el curso bajo del Volga y en la zona al sur de los
                    Urales en la época escita // АСГЭ, 1983, № 23, p. 16-29.
Chernenko 1968 – Chernenko E.V. Armadura escita. Кíev, 1968.
Chernenko 1970 – Chernenko E.V. Túmulos escitas del siglo V a.C.
                    cerca de la ciudad de Zhdanov // Археологія, 1970, № 23,
                    Кíev.
Chuistova 1962 – Chuistova L.A. Sistemas de pesas antiguos y
                    medievales que se usaban en el litoral norte del Mar Negro //
                    АИБ, 1962, t. II, p. 7-236.
Sháposhnikova 1970 – Sháposhnikova O.G. Enterramiento de un
                    guerrero escita en el río Ingul // CA, 1970, № 3, p. 208-212.
Shelov 1951 – Shelov D.B. Acerca de dos tesoros encontrados en
                    Nimphea // ВДИ, 1951, № 1.
Yaylenko 1985 – Yaylenko V.P. Nuevos datos epigráficos sobre
                    Mitrídates el Grande y Farnaca // Zona del Mar Negro en la
                    época helénica. Documentos del III Simposio Nacional
                    sobre la historia antigua de la zona del Mar Negro.Tsjaltubo,
                    1982. Tb., 1985, p. 617-627.
Yaylenko 1987 – Yaylenko V.P. Documentos sobre la epigrafía
                    bosforiana // Inscripciones y lenguas de Asia Menor, Chipre
                    y zona del Mar Negro en la Antigüedad, t. III, M., 1987, p.
                    4-201.
Yakovenko 1993 – Yakovenko E.V. Aparejos de un caballo de silla
                    procedentes de las nectrópolis bosforianas (siglo V a.C.)
                    //Civilización antigua y el mundo bárbaro, cap. II,
                    Novocherkassk, 1993, p. 84-91
Grach 1987 – Грач Н.Л. Нова пам'ятка елліністичного часу з
                    Нимфею // Археологія, 1987, № 57, с. 81-94.

АГСП,1   - Ciudades antiguas del litoral norte del Mar Negro, t.1.
             Moscú (M.)- Leningrado (L.), 1955

АГСП 1984 – Arqueología en la URSS. Estados antiguos del litoral norte
             del Mar Negro. M., 1984.

АДЖ   - Rostovtsev M.I. Pintura decorativa antigua en el sur de
             Rusia. San Petersburgo (SPb), 1914.

АИБ   - Arqueología e historia del Bósforo. Ciudad de Simferopol.

АИУ   - Investigaciones arqueológicas en Ucrania.

АСГЭ   - Recopilación arqueológica del Ermitage, Leningrado/San
             Petersburgo.

АХБ   - Bilimovich Z.A. y otros. Bronce artístico antiguo. Catálogo
             de la exposición. L., 1973.

АХС   - Grach N.L. y otros. Plata artística antigua. Catálogo
             de la exposición. L., 1985.

ВДИ   - Boletín de historia antigua, Moscú.

ГИМ   - Museo Estatal de Historia, Moscú.

ГМИИ   - Museo Estatal de Historia de las Artes.

ГЭ   - Ermitage Estatal, San Petersburgo.

ЗООИД   - Notas de la Sociedad de Historia y Antigüedades de Odesa,
             ciudad de Odesa.

ИАК   - Boletín de la Comisión Arqueológica Imperial, San
             Peterburgo.

ИГАИМК   - Boletín de la Academia Estatal de Historia de la Cultura
             Material, Moscú.

КБН   - Conjunto de inscripciones bosforianas. M.-L., 1965.

КИАМ   - Cultura y arte del mundo antiguo. Recopilación de artículos.
             L., 1971

КСИА   - Comunicados breves del Instituto de Arqueología de la
             Academia de Ciencias de la URSS, Moscú.

КСИИМК - Comunicados breves del Instituto de Historia de la
             Cultura Material, Moscú.

ЛОИА   - Filial leningradense del Instituto de Arqueología de la
             Academia de Ciencias de la URSS, Leningrado.

МАСП   - Documentos sobre la arqueología del litoral norte del Mar
             Negro, Odesa.

МАР   - Documentos sobre la arqueología en Rusia.

МДБ   - Shelov D.B. Acuñación de monedas en el Bósforo en los
             siglos VI-II a.C. M., 1956.

МИА   - Documentos y estudios de arqueología en la URSS, Moscú.

НЭ   - Numismática y epigráfica, Moscú.

НЭ VI   - Golenko K.V., Kapanadze D.K. Cuatro tesoros de las
             colquidianas // НЭ, 1966, t.VI, p. 31-61.

ОАК   - Informe de la Comisión Arqueológica Imperial, San
             Peterburgo.

ПКИ 1981-1982 –Monumentos de la cultura y las artes adquiridos por
             Ermitage en 1981-1982. Catálogo de la exposición. L., 1983,
             p. 22-23, cat.13-26

ПКИ 1983-1984 - Monumentos de la cultura y las artes adquiridos por
             Ermitage en 1983-1984. Catálogo de la exposición. L., 1984,
             p. 22, cat.21.

ПКИ 1985 - Monumentos de la cultura y las artes adquiridos por
             Ermitage en 1985. Catálogo de la exposición. L., 1986, p.19-
             20, cat.25-42

СА   - Arqueología soviética, Moscú.

СAИ   - Códice de fuentes arqueológicas. Arqueología en la URSS.

СГМИИ – Comunicados del Museo Estatal de Artes Plásticas "Pushkin"
            de Moscú, Moscú.

СГЭ   - Comunicados del Ermitage Estatal, Leningrado.

ТГЭ   - Obras del Ermitage Estatal, Leningrado.

ТОАМ   - Obras del Departamento del Mundo Antiguo del Ermitage
            Estatal, 1945, t.1, Leningrado.

ТОИПК – Obras del Departamento de Cultura Prehistórica del Ermitage
            Estatal, Leningrado.

ШДИК - Leskov A.M. y otros. Obras maestras del arte antiguo de
            Kuban. M., 1987

KONDAKOV N.P. (1844-1925)

НОВИКОВЪ,
АЛЕКСАНДРЪ ВАСИЛЬЕВИЧЪ.

NOVIKOV A.V. (1843-1916)

KHUDYAK M.M. (1899-1959)

SKUDNOVA V. M. (1894-1969)

168. MEDALLA DE OLIMPIA
Año 1989, Grecia. 15.0 x 21.0 cms

Anverso: Imagen de una nave a la izquierda rodeada por cuatro delfines. Abajo se encuentra la inscripción: Ι. Παππας.
Reverso: Inscripción en circunferencia:

estrella

ΚΟΙΝΩΦΕΛΕΣ ΙΔΡΥΜΑ ΑΛΕΞΑΝΔΡΟΣ Σ. ΩΝΑΣΗΣ,

En 1989 el comité internacional de la fundación "Alexandros S. Onasis" adjudicó al Ermitage la medalla de honor y el premio de Olimpia por logros sobresalientes en el desarrollo de la cultura y la preservación del patrimonio cultural de Hélade. Esta fundación fue constituida en cumplimiento del testamento del conocido armador griego Aristoteles Onasis y llamada en honor de su hijo fallecido en circunstancias dramáticas, Alejandro. La fundación está llamada a prestar apoyo a las iniciativas de importancia nacional y estatal.

GRACH N.L. (1929-1991)

KUNINA N.Z.

SOKOLOVA O.Y.

187